クローズアップ藝大

国谷裕子＋東京藝術大学
Kuniya Hiroko + Tokyo University of the Arts

JN018622

河出新書
031

はじめに

国谷裕子

箭《や》内道彦《ないみちひこ》先生から大真面目な顔で「クローズアップ藝大」という企画をやりませんか？とお誘いをいただき、思わず〝くすっ〟と笑ってしまいました。二十三年にわたり「クローズアップ現代」という報道番組に没頭し、ようやく番組と離れた新しい日常に慣れてきていた中で、あまりに巧《たく》みなネーミングの提案をいただき、心のスィートスポットにすこんと入った気がして二つ返事で引き受けました。藝大で教鞭《きょうべん》をとっている芸術家・専門家の方々へのインタビューを通して、藝大をもっと多くの方に知ってもらおうという企画です。

五年前まで長い間続けてきた報道番組のキャスターの大事な仕事の一つはインタビューでした。私は一対一のロングインタビューがとても好きで、準備などは大変でしたが、その人でなければ語れない言葉や思いを聴くことができた時、この仕事をやっていて本当に良かったと思えました。

ですから、今回、インタビューを定期的に行うという機会を得て、正直わくわくしました。大学の会議などで藝大の置かれた様々な状況を知ることはあっても、藝大でどんな先生方がどのような授業を行っているのかを知る機会はありません。芸術家の眼差《まなざ》しや創造の源《みなもと》となるものは何なのか、芸術家はいかにして芸術家となったのか、学生たちに何を伝えようとしているのか、などなど、藝大や先生方について、もっともっと知りたいと思っていたのです。

気候危機などの地球環境問題の深刻化や社会のさらなる分断が指摘され、変革を求めて、今までの発想を転換する新しい考えかた、新しい視点が必要とされている時代です。こうした時代を迎えて、誰も見たことがない新しいものを常に求めて創造に取り組んでいる芸術家やアートそのものへ、新たな視点からの関心が高まっています。これまで進んできた社会の均一化、沈滞化を壊していくエネルギーを、アートの持つ力に求めているのかもしれません。

ただ、少し前に話題になった藝大についての本のタイトルは「最後の秘境　東京藝大」でした。多くの方からは遠い存在、浮世《うきよ》離れしたイメージをいまだに持たれている藝大。社会との隔《へだ》たりはまだ大きいようです。

その隔たりを埋めることができ、アート思考を求める社会の動きと藝大との多様なコラボレーションが実現すれば、どんな化学反応が起きるだろうか。こうした〝野望〟も抱きつつ、私は、この企画に臨みました。

十二人の先生との対談・インタビューは、私自身が藝大について知るプロセスでもあり、まだまだ橋渡しとまではいきませんが、芸術家の方々の新しいものへの飽《あ》くなき挑戦や、アートが社会と密接に結びつくいかに多くのフックを持ち合わせているかなど、読者の方にとって新鮮な発見を、この本に見出していただけたらと思います。

目次

はじめに　国谷裕子　3

I

国谷裕子のクローズアップ藝大　13

01
大巻伸嗣　美術学部彫刻科教授　15
予定調和を壊す
文化や伝統は、お金で手に入らない／目的は「コミュニティ」の再構築／アートやアーティストの可能性を探る／予定調和を壊す／教員は学生の「敵」でいい

02
菅英三子　音楽学部声楽科教授　37
人間としてどう生きるか
身体全体が楽器／全て「楽しい」に向かっている／辞書を片手にドイツへ、そして……／それぞれに自分の人生を見つめ、自分軸で考える／人間としてどう生きるか

03
山村浩二　大学院映像研究科アニメーション専攻教授
この世界の真実を知りたい
55
自分自身の存在の理解の限界を考えたアニメーション／「思考のカオス」を刺激したい／フレームの外側にある世界を意識して作る／映像は簡単にプロパガンダになりうる／「絵で語る」ということ／「この世界の真実」に近づきたいという欲求／創作に勝る喜びはない

04
前田宏智　美術学部工芸科（彫金）教授
手を動かして物を作る、それが人間の原点
75
金属の声を聞きながら、対話するように成形する／新しいものへのあくなき挑戦が伝統である／発想とは、人間の持つエネルギー／手を動かして物を作る行為がアート／作り手と発表する場と見る目

05
江口玲　音楽学部器楽科（ピアノ）教授
世界にただ一人しかいない自分がどう表現するか
93
絶対無理だと言われながら／学生のお手本にはなれない葛藤／音楽家としての心得

／楽器と共に音を曲を作る／ただ単にピアニストなんです／世界にただ一人しかいない自分がどう表現するか

06
黒沢清　大学院映像研究科映画専攻教授
感動の瞬間を追い求め、作り続ける　117
これまでやったことのないことをやりたい／映画はずっと危うい状況／「映画は一生かけて付き合うに値する」／予期しないような偶然は現実に起こりうる／言葉にならない気持ちを映画に／昔あった撮影所のように、若い人につなぎ綿々と残していく／思い通りにいかないところに個性が出る

07
熊倉純子　大学院国際芸術創造研究科アートプロデュース専攻教授
誰でも芸術と出会える社会を目指して　137
芸術は万人のものである／芸術論を押しつけるのではなく、ひたすら聞く／フランスで現代美術の魅力にはまる／芸術と社会をつなぐ活動＝アートマネジメント／文化が根付いた、と感じた瞬間

08
黒川廣子　大学美術館教授
「芸術」の伝え手
157
日本の工芸と東京美術学校／人間に〝クローズアップ〟／調べても調べてもわからない作家／「美術」という言葉・概念の誕生／幅広く勉強するうちに、誰も研究していない分野へ／展覧会企画の醍醐味／伝え手の役割

09
小沢剛　美術学部先端芸術表現科教授
時代の中で生きる、消費されるだけでなく
179
先端芸術表現とは／先が見えない怖さと楽しさが同居／旅をしながら作品を残すなんて、ロマンチックでいいなと／感じたことをつかまえて糧にする／時間はかかるけれど、心に響くはず／どうしたらいいのかわからない最悪な時代／時代の中で生きる、消費されるだけでなく／一枚の絵が飢える子どもを救うこともできる

10
日比野克彦　美術学部先端芸術表現科教授
芸術と社会の新しいチャンネルを作る
203
作家になるだけが藝大生の目標ではない／「I LOVE YOU」プロジェクト――「芸術は

人を愛する」とは／このままではＡＩの藝大生が生まれてしまう／人間本来の力を意識する「TURN」の活動／もっと巷に衝撃的な作品がある／異質なものと出会ってこそ／大学時代の発見と出会い／演劇、アート、社会……区切らずに考える

11
高木綾子 音楽学部器楽科（フルート）准教授
「この人の演奏を聴きたい」と言われたい 229
多様になってきた演奏家の活動の場／チャンスを無駄にしないために結果を出す／意識して「言葉」にすることが大切／精神面は本当に弱いので……／演奏家でなく音楽家になりたい／身近な存在でいられたら

12
箭内道彦 美術学部デザイン科教授
オルタナティブを常に考える 251
今回はゲストから逆インタビュー／「クローズアップ藝大」の誕生と狙い／秘境の暗闇の扉を開ける／若手芸術家支援基金の意味／人を動かす「広告の手法」／アフターコロナで何か変わるか／言葉の力を信じる／問いかけはする。しかし、答えは話さない／自分で自分を覚醒させる／表現者として自由になれる「開通」体験／箭内道彦

の「開通」体験／企業と藝大との連携

II

国谷裕子が
東京藝術大学で「藝大」を学びながら、
「教育」と「アート」と「社会」を考える　289

東京藝術大学の先生に共通する「開通体験」／東京藝術大学で「何」を学ぶのか？／「アート」によってつながる「社会」／SDGs（持続可能な開発目標）の実現のために／分断される社会とダイバーシティ

おわりに　箭内道彦　308

I

国谷裕子のクローズアップ藝大

01

「予定調和を壊す」

大巻伸嗣
美術学部彫刻科教授

大巻伸嗣
（おおまき・しんじ）

1971年岐阜県生まれ。1995年東京藝術大学美術学部彫刻科卒業。1997年同大学院美術研究科彫刻専攻修了。「トーキョーワンダーウォール2000」に《Opened Eyes-Closed Eyes》で入選以来、《ECHO》シリーズ（資生堂ギャラリー、水戸芸術館、熊本市現代美術館、東京都現代美術館等）、《Liminal Air》（東京ワンダーサイト、ギャラリーA4、金沢21世紀美術館 、アジアパシフィック・トリエンナーレ2009、箱根彫刻の森美術館等）、《Memorial Rebirth》（横浜トリエンナーレ2008）などのインスタレーション作品やパブリックアートを発表している。作品集『SHINJI OHMAKI 大巻伸嗣』（現代企画室）がある。2009年より母校にて後進の育成にあたり、2016年より現職。
公式HP　http://www.shinjiohmaki.net/

東京藝大の彫刻棟は美術学部キャンパスの奥まったところにあります。重い扉を開けると中から機械で木を削る音が聞こえてきました。大きな作品を作るスペースを確保するために一階の天井はとても高い。二階まで階段で上り廊下を奥まで進むと大巻先生の部屋がありました。

なにやら作業中らしく部屋の半分ほどのスペースがビニールで覆われていました。窓辺に近づくとコンクリートで作られた長さ三メートル余りの深いバスタブのような容れ物があり、中にはごろごろと乾いた粘土《ねんど》が入っています。「ここは粘土槽です。人体像を作るために、歴代の先生方が使った粘土。いろんな地域からの土が最も良い配分で混ぜられ、ここに水を入れて二週間ほどスコップや手などを使いながら混ぜると創作の材料ができます。この粘土には先生たちの霊も宿《やど》っているかもしれない」と大巻先生は笑い、ここから対談が始まりました。（**国谷**）

文化や伝統は、お金で手に入らない

国谷　大巻先生は、最近はどんな活動をされていますか？

大巻　最近ではマカオで仕事をしましたね。あの新国立競技場で話題になったザハ・ハディドさんがデザインしたホテル「モーフィアス」を建てるので、廊下を作品にしてほしいという依頼があったんです（図1）。ザハさんの建築デザインは、柱というか軸《じく》と軸の間に空間があり、植物のような構造を持っていると感じ、植物をつないでいくような作品をイメージしました。伝統、歴史自体が植民地支配により変化してしまった街であり、カジノという全く現実的でない不思議な世界のマカオに伝統や歴史的なものを連鎖させることは、断絶や喪失してしまうことに対してのちょっとした皮肉なんです。マカオは今、お金があって手に入らないものはないように思えるけれど、文化や伝統だけは手に入れることはできない、というね。五十メートルの廊下ですが、どこが実際に歩ける現実か、歩けない非現実か、鏡によってわからない迷路のようになっていて。現実と非現実が交差する世界。それを作品として見せたいと思いました。

国谷　タイルの上に描かれたのですか？

大巻　アルミ板にキャンバスを貼って岩絵の具で描いています。二カ月以上かかって。

国谷　迷路のような廊下を歩いてみたいなぁ。
大巻　そういえば、オランダのイレブン・ファウンテンのアーティストに選ばれて、街にファウンテンを作りにいったこともありました（**図2**）。世界中から十一人が選ばれ、その一人として行きました。
国谷　ファウンテンというのは噴水のこと？

図1　《Echoes Infinity》2018
写真：Melco Resorts & Entertainment Limited
（「モーフィアス」館内）

図2　《Immortal Flowers: Rikka》2018
写真：11Fountains

大巻　そうです。オランダはスピードスケートが強いのですが、行ってみるとその理由がよくわかります。冬は川が凍るのです。その凍った川で、皆でアイススケートを楽しむ。オランダには、十一の都市をアイススケートで巡るという昔から続く冬の伝統行事があり、観光客が多く集まりました。ただ、最近は川が凍らないことが多くなり、アイススケートレースに代わるような、なにか十一都市をつなぐものを作ろうという取り組みでした。しかし、ここでも、地元の人たちは反対するんですよ。「このままでいいんだ」と。「よそ者が噴水なんてとんでもない」と。そんなことを言われました。

後から聞かされたのですが、わたしが担当した街は、「十一の街で、一番大変な街」と言われていたらしいんです。反対勢力一〇〇人ぐらいを前にしてのプレゼンでした。作品を完成させるまでは困難続きでしたが、今では、「噴水を作ったのが日本人だから」という理由で、噴水の近くで空手や生け花のワークショップが開催されているそうです。そうやってコミュニティの中で日本人が役割を持つ。そこがまた重要だと感じます。

目的は「コミュニティ」の再構築

国谷　先生は各地を飛び回っていらっしゃるのですね。

大巻　今日は、台湾から帰ってきたところです。少し前は大分にいました。大分では、古民家を使用したインスタレーションを制作したのですが、その場に存在する記憶や物語を光とファウンドオブジェクトを通じて作品にしました。その光は、空気の重さによって速さが変化し、少しの風で動くようなものです。煙によって空気がまるで、龍が立ち上がるように見えるんです。龍というか神というか……。なんのことはない日常の中に、光と闇を使って、見えないものの存在を感じる空間を創りました。

もう一つ大分で活動をしました。地域の方から自発的に頼まれたものでした。最初は五人ぐらいで始め、それが最後には市民六〇〇人になり、木版画作品を作り上げました。その土地でワークショップを行いながらそれを通じて、地域の人たちがつながっていったんです。最初はみんな「この人は何をしに来たんだろう」という雰囲気でしたが、事情を話していくうちに協力してくれる人が増えていきました。調べていくと、その土地の人であれば皆知っている伝説があることを知り、いろんな方々に聞き回りました。路地裏のお店などを回り、お酒を飲みながら、この地域の話や伝説を聞かせてもらうんです。一人ひとりの語るストーリーが、少しずつ違いました。約一年間の間に何度か訪れ、ようやく、街の歴史に詳しい人が持っていた本にたどり着きました。その本をもとに、子どもたちに伝説を読み聞かせた時は、地域の〝エホント〟という読み聞かせグループが協力してくれました。その伝説をモチーフにして、版画を作っていったんです。木版画のための下絵は、ワークショップでグループワークしながら、皆に描いてもらいました。二メートル×十メートルの大きな下絵でしたが、木の板に直接練習なしで、三十分くらいの短い時間で描きました。

版画のための木材は、その土地でとれる杉です。杉の産地でもあるので杉板を使用することにしました。そこで、杉を扱う職人さんが関わってくれました。ただ、杉は簡単には彫れない材質です。「大巻さん彫れないよ。もう無理だ」と泣きつかれても「考えてください」と突き放し、人を集めたり工夫をしたりするのは自分たちで考えてもらいました。三カ月ぐらいは試行錯誤が続いていました。メンバーの一人が、地元の彫刻師（力峰彫刻という木彫専門の会社）を探してきて、その人にレクチャーを頼みました。今まで注目されてこなかった木彫刻という地元の産業に結びついたんです。その後、その彫刻師の方が皆に教えていくことで、彫りのリーダー的存在になっていきました。近くで携帯ゲームをしていた子どもたちも、なんだろうと寄ってきて手伝い始めて、小学校、中学校などの学生さんたちも学校で参加してくれた結果、最終的には六〇〇人ぐらいが関わった大きなプロジェクトになっていきました。

国谷　規模が大きくて、力強い作品です。

大巻　ありがとうございます。作品ができあがった頃、大分に行くと、皆なぜか泣いているんです。「できるとは思わなかった」と。こちらももらい泣きしながら「なんでできたんだろう？」と聞くと「わからない。無理だと思ったができた」と……。

国谷　先生がなさったワークショップは、地域の人たちの結びつきを強めていったんですね。

大巻　コミュニティ再構築。私はそこに注目しています。そのためには外の人が答えを教えてはだめなんだと思います。

国谷　大分からは、そもそもどのような依頼を受けたのですか？　何をやってほしいと？

大巻　大分の国民文化祭があったんです。そこで何かやってもらえないか、と。全く知らない場所だったので、歴史や伝統、自然史などいろいろな角度から丁寧にリサーチするところから始めました。文献に加え、現地に赴《おもむ》き、地元の人に案内してもらい、フィールドワークも行いました。味気のない標識や看板が立つ放置された遺跡や、造りは立派なのに住む人がいなくなってしまったことで朽《く》ちてしまっている屋敷が特に印象に残っています。雨漏りが、天井、二階、一階と貫き、腐った黒い穴が連なっている部屋もありました。そのような放置され取り残された空間と、リサーチから得られた自然史や民族史的な要素を組み合わせて、人間や場所の記憶を呼び起こすような神話的な空間を作りたい。そんな思いから、古民家を使ったインスタレーション作品を考え、多くの地元の方々に手伝っていただきながら制作を行いました。

アートやアーティストの可能性を探る

国谷 シャボン玉を使ったアートも、大巻先生の代表的な作品と伺っています（図3）。

大巻 足立区千住《せんじゅ》では二〇一一年から毎年やっていますね。もう八年になります。一分間に最大一万個のシャボン玉を発生させる装置があり、それを使います。そもそもの始まりは、わたしのアトリエに足立区の人が、「少しだけ話がしたい」と訪れて来たことでした。その時、ちょうど横浜トリエンナーレの制作や水戸芸術館での展覧会のため、ものすごく忙しくて、「十五分しか時間がない」と伝えると「それで十分ですからぜひ」と。それで話をしたら、結局二時間話し込んじゃって、新しい足立区のプロジェクトを実現させるために、文化支援・アートマネジメントが専門の熊倉純子《くまくらすみこ》先生（大学院国際芸術創造研究科アートプロデュース専攻教授）を紹介したり、次は東京都の財団を紹介したり、とやっているうちに、東京都から補助金がつきそうだと話が広がっていきました。

その活動は、熊倉先生の研究室の学生たちが一生懸命に地域と交わりながら活動を続けていますが、最初はＰＴＡや地域の人たちにとって乗り気でないものでした。はじめの頃には「なんでそんなことをやるのか？」などと言われました。さらに、足立区で初めてシャボン玉を飛ばす日は大雨だったんです。雨天中止となっていたため、皆が中止になると思っている中、「雨だと、逆にシャボン玉が消えないです」と言って、あえてこんな雨だからこそと、強行しました。子どもたちの手や傘にシャボン玉が乗るんです。初めは乗り気でなかったお手伝いの方々でしたが、腹を括《くく》って実際やってみると皆さんは、不思議と大盛況でした。

図3　《Memorial Rebirth 千住 2013 常東》
写真：Amemiya Yukitaka

皆さん、これほど続くとは考えていませんでした。最初は年に一度だったイベントが、今や地域の人や役所の方々が、自ら企画して小さいイベントを年に数回、開くようになっています。役所の方は役所の中で仕事をしていると、地域の人の顔が見えないですよね。でも、イベントで協力し合うと、地域でどんなことが望まれていて、どんな意見があって、どんな人がいるかが見えてきて、仕事に生かせると。そういう人たちは部署が変わっても、ずっと参加してくれています。アートというよりも「祭」として、今度は「しゃボンおどり」をやってみようと進化させました。小学校を巻き込んで、地域ごとの歌詞をワークショップで作りどんどん広がっていきました。

国谷　シャボン玉を作るというワークショップを通して、ここでも地域の人たちとの広がりが生まれていったんですね。

大巻　この活動を学生にも手伝ってもらったんですが、最初は、そんなワークショップに何の意味があるのかと言われるんですよ。教員からも同じように言われます。でも、「何がアートになるのか。アートに何ができるか。アーティストとは何なのか」ということを考えます。

国谷　深い問いかけです。大巻先生ご自身はどのようにお考えですか？

大巻　常に考え続けています。何か一つの答えに固まるのではなく、模索《もさく》しながら、挑戦を続けながら考えていきたい。アートやアーティストの可能性を探っていくことが大切だと思います。

以前、岩手県山田町でもシャボン玉を使って復興支援事業《DUST MY BROOM プロジェクト》を開催しました。主催者は東日本大震災のがれきをたくさん処理して、感謝されてきたリサイクル会社です。地域の方ともう一度顔を合わせて、皆さんと共に開催したいという願いから、その企業の社長さんが写真家の菅原一剛さんに相談したことで、《DUST

MY BROOMプロジェクト》は始まりました。メディアの取材も受けることになりました。被災地でよく見る光景でしたが、「メディアが来るから、ランタンを並べます。地域の人はどいてください。いい画が撮りたいだけのもの」というのとは違います。メディアが来るからではなく、地域社会とのつながりが大事で、自分たちが目指す方向を見失わないように、企業の方々と地域の方、それを共有するものとの共同であることを目指しながら時間と場所を共有することです。

国谷　確かに、メディア側の都合のいいように使われてはいけない。大巻先生のおっしゃる通りです。

予定調和を壊す

国谷　先生はVR（バーチャルリアリティ・仮想現実）やAR（拡張現実）についてどのようにお考えですか？

大巻　VRなどを使わないのかとよく聞かれますね。テクノロジーを活用したシステムやデジタルコンテンツやコンピュータを使った仮想現実は、わたしの作品と似ているように見えますが、真逆ですね。わたしの目指しているものは、どうやって予定調和が壊れるかなんです。それは風であり、空気であり、人。そういった不安定なものも人間は簡単に乗り越える卓越《たくえつ》した感覚と経験を蓄積している。そこが人間の面白さであって、困難に立ち向かって、それをひらめきで乗り越えていく。そして人は進化していく。それが作品を生み出している。

空間そのものも、自分たちで作っています。今、わたしらが話している空間だって、少しのスペースを使って椅子を持ってきて、「じゃあここで話しましょう」と自らで空間を作った。結局、最初からあったものなんて何もなくて。その時、その時で、人が考えて生み出していますよね。時間や空間や感覚といった、作品を生み出すものを予《あらかじ》め想定することはできないですよ。

国谷　VRやARなどの技術が進歩するにあたって、改めて芸術の重要性が注目されています。デジタルで想定しながら生み出す作品と、予定調和を外れたものが生み出す作品。相反したものが、それぞれ、どう表現されていくか、今後も興味深いですね。

私はSDGs(1)、持続可能な開発目標の取材や発信に取り組んでいます。鉱山が閉鎖され町の大きな産業がなくなった自治体に行き、住民が能動的に考え持続可能な町づくりについて取り組んでいるのを目《ま》の当たりにしました。一方で人口減少を食い止めたいけれど住民同士の話し合いが少なかったり、新しい発想がなかなか生まれず、これまでのやり方を変えられないところもあります。そういった場所では地域の人々の連携を強化し人々が動き出すきっかけが必要なのですが、先生が地域で行うプロジェクトがそうしたきっかけを生み出すことになることはありますか?

大巻　そういう場では、基軸になる人がいないと動かない。今までいろいろとやってきて、やはり核となる人が数人いる。仕事とは関係なく、継続するためには、外からの力だけでは駄目。誰かにすがっているようでは駄目です。

国谷　先生は、大分では一年かけて歩き回り、軸になる方たちを見つけていかれました。簡単には真似《まね》はできません。でも、そういう一見元気がなくなっているような街には、本人たちが気付いていない魅力がたくさんあるのではないですか。

大巻　そう。本人たちは、「何もない。水が美味《おい》しいって言ったって、それだけだ」とか言われますね。私事ですが、自分には実家があった町が、まるごとなくなってしまった経験があるんです。岐阜の問屋《とんや》街で、三〇〇メートルも続く昭和の古いアーケード街でした。「そこが再開発区域になっているから来て欲しい」と岐阜県美術館の学芸員から連絡が来て、今までやってきたことが役に立つかもと思い、駆けつけてみると開発に関する町の会合で「お前、何しに来たんだ。お前の家は、この町からみんな出て行ったんだろ。よそ者が何しに来たんだ」と言われました。それは幼い頃、自分をかわいがってくれた近所のおじさんたちだった。確かにわたしが跡をつがずに作家をして、父は、その町で商売を廃業して違う場所に住んでいたし、自分も兄弟も東京に来ている。でも……話も聞いてもらえないというのは本当にショックでした。

国谷　そんな大変な体験をされたのですね。ふるさとで役に立ちたいと思って行ったのに、親しかった近所の方たちから、よそ者だと言われ辛かったのではないですか？

大巻　住んでいた家（お店）が取り壊される瞬間も、その場に立ち合い見ていました。テレビの密着取材をされていて、自分の家の外壁一面が倒された、ばぁっと崩れ倒された瞬間に、メディアから「今、どんなお気持ちですか」とマイクを向けられました。それは腹が立ちましたね。表情でわかるじゃないかと。そんなことを聞くなと心の底から思いました。

国谷　無神経ですね。

大巻　その跡地に何ができるのかというと、ホテルと駐車場だという。ああ、そんなことのために町がなくなったのか。もっと町を再生させるいい方法があるはずなのに。壊すのは一瞬だと感じました。

教員は学生の「敵」でいい

国谷　先生は何人ぐらい教えていらっしゃるのですか？

大巻　彫刻専攻とGAP専攻（大学院美術研究科グローバルアートプラクティス専攻／取材時。現在はGAPは担当していない）合わせて二十人ぐらいです。ただ、GAP専攻の一年生は、教員全員で学生を指導することになっていて、担当教員がいません。わたしは、学生には担当教員がいたほうがいいと考えています。敵になってもいいから、羽ばたくためには担当教員がいたほうがいい。敵になるのは嫌われるから、本当は嫌なんですけどね。

国谷　教員が敵になるとは具体的にはどのようなことでしょうか？

大巻　学生は卒業後、社会に出て、どう挑戦していくか、どう安全に作品を作るか、どう仲間を増やせるかという壁にぶつかります。まず、大学という場で、教員が乗り越えるべき敵にならないといけない。それが教育です。極端ですが。一方的に教えるのではなく、敵になって学生に考えさせる。どうやって安全にできるか、どうやって仲間を集められるか、どうやって教員を説得できるかです。やはり、新たに物を作ることには、危険性という側面もあるわけですから、そこを一つ一つ乗り越えていきながら、味方を増やして壁を越えられるかということも大切なことだと思っています。

国谷　彫刻科の学生時代はどのような作品を作られたのですか？

大巻　学生時代は、大きな作品を作りました。この部屋二つぐらいの大きさの彫刻です。普通の大きさではなかったため、当時助教授だった深井《ふかい》隆《たかし》（対談時、美術学部教授）先生に、教官室に何回も呼び出されて、「もう作るな」とまで言われました。先生たちには、この作品を完成させることが難しく見えていたのだと思います。扉から搬出もできないような作品で。でも、当時教授だった山本正道《やまもとまさみち》先生に自分が今できることを最大限挑戦したいことを真剣に伝えました。そうしたら山本先生は、「作りなさい！」と。続けて、最後に付け加えられて、「でもあなたの作品は、わたしにはわかりません！」とも言われました。けれど、わたしはこの言葉をもらった時、少し嬉しくなりました。先生とは違う自身の道に向かうことができるような気がしたからです。大学の助手最後の年に個展をした時、山本先生は、わたしの小さな作品を買ってくれましたね。「わかりません！」というのは一つの答えだったのかな。

国谷　学生時代は異端だったのですね。現在、指導されていて、そういう学生はいますか？

大巻　わたしは異端だったのでしょうね。当時は、ここでしかできないことをやりたいと思っていました。今は、「わかりません！」という作品には出会わないですね。異端と感じる学生は、藝大から出ていくかな。それと、今の学生はすぐに答えを求めたがる。自分で輪郭《りんかく》をひいていくというより、早く正解に要領よくたどり着きたいとか、有名になりたいとか。

国谷　先生が卒業されたのは、日本の証券業界で四大証券会社の一つとされていた「山一《やまいち》証券《しょうけん》」が破綻《はたん》した頃で、日本経済が大きく傾いた時期です。

大巻　そう。全く仕事なんてありませんでした。お金はなくても、借りてでもやろうと動きだしました。そうしていると、お世話になっていたネジ屋さんやガラス屋さんが、お金の支払いを待ってくれたんです。何の担保もないわたしに、約一八〇〇万円もの支払いを待ってくれて。

国谷　一八〇〇万円？　出世払いで支払いを待ってくださったのですか？

大巻　はい。偶然にもコミッションワークで作品制作の仕事をもらえました。そういったことを何度かさせてもらいながら、頑張ってなんとか返せました。学生時代から作っていたものが大きな彫刻作品ばかりだったので……。その時に本当にバカみたいに大きい作品ばかりを作っていた人は他にあまりいなかった。自分くらいだったから……。

　後からですが、貸してくださった方からは「返してもらえるとは思ってなかった」って言われました。

国谷　学生時代の作品を見てみたいです。藝大では卒業時に自画像も描きますよね。

大巻　ええ。それをこの間、藝大大学美術館で見る機会がありました。でも……ひどいものでしたよ（笑）。

大巻先生と話し始めると時間があっという間に過ぎました。実家が目の前で壊され親しかった近所の人たちに話を聞いてもらえなかった忘れ難い経験は今、大巻先生の国内外での活動の原動力になっていると思えました。そして一番熱っぽく語ってくれたのは「教員は大学で学生が乗り越えるべき敵にならないといけない」という部分でした。

「何がアートになるのか。アートに何ができるか。アーティストとは何なのか」という大巻さんの自問は今後の「クローズアップ藝大」をつらぬく大事な問いかけになると思います。（**国谷**）

註

（1）持続可能な開発目標（ＳＤＧｓ）とは、二〇〇一年に策定されたミレニアム開発目標（ＭＤＧｓ）の後継として、二〇一五年九月の国連サミットで採択された「持続可能な開発のための２０３０アジェンダ」にて記載された二〇三〇年までに持続可能でよりよい世界を目指す国際目標です。十七のゴール・一六九のターゲットから構成され、地球上の「誰一人取り残さない（leave no one behind）」ことを誓っています。ＳＤＧｓは発展途上国のみならず、先進国自身が取り組むユニバーサル（普遍的）なものであり、日本としても積極的に取り組んでいます。（＊外務省ホームページ「ＳＤＧｓとは？」より）

02

「人間としてどう生きるか」

菅英三子
音楽学部声楽科教授

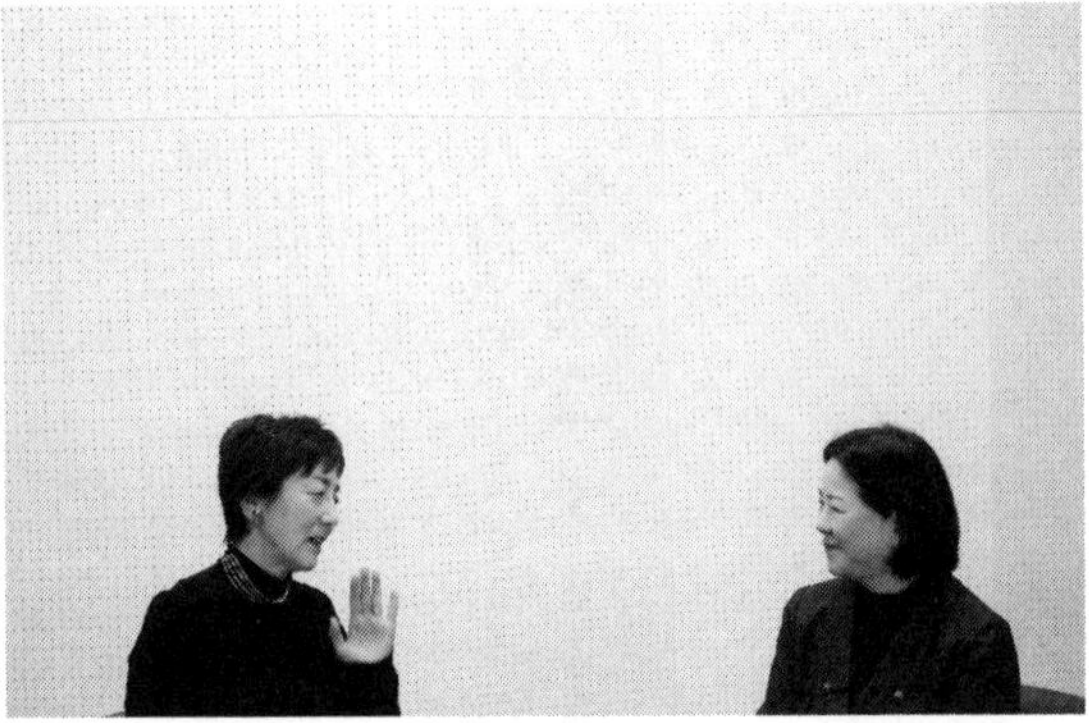

菅英三子
（すが・えみこ）

岩手県生まれ。京都市立芸術大学卒業後、ウィーン国立音楽大学を首席で修了。フランシスコ・ビニャス国際声楽コンクール“コロラトゥーラ・ソプラノ賞”、アルフレード・クラウス国際声楽コンクール第2位、ウィーン国際新進オペラ歌手コンクール第1位、文化庁芸術祭賞新人賞他受賞多数。1991年の現プラハ国立歌劇場でのオペラ・デビュー以来、プラハ国立歌劇場、ブルノ国立歌劇場などのオペラ公演や、ボストン交響楽団、NHK交響楽団他、多数の演奏会に出演。京都市立芸術大学音楽学部准教授を経て、2011年より東京藝術大学音楽学部准教授。2015年より現職。

正門から入ってまっすぐ進むと木立の中に藝大ゆかりの芸術家たちの銅像が立ち並び、その奥に音楽学部があります。

建物の中はとても静か。授業が行われるレッスン室はそれぞれ防音され外に音が漏れないようになっているからです。加えてインタビュー当日は試験の最中で、職員の方から廊下での話し声も慎むようにと言われるほどピリピリとした空気が流れていました。菅先生が待ってくださっていたレッスン室には広々とした空間があり、先生はにこやかに大きなグランドピアノの横に立っておられました。（**国谷**）

身体全体が楽器

国谷　こちらのレッスン室で教えていらっしゃるのですか？　藝大のレッスン室は、普段、なかなか入る機会のないお部屋です。

菅　確かに、レッスン室はポツポツ穴がある防音壁、二重扉、二重サッシの窓など、一般の方にはあまり馴染《なじ》みがない部屋ですね。ここで、学生は発声したり、ピアノに合わせて歌ったりします。オペラ指導になりますと、歌に動作が加わりますから、立ったり、座ったり、歩いたりしながらです。アンサンブルのレッスンを除けば、基本は、一対一の個人レッスンです。

国谷　菅先生は、身体全体が楽器であるとおっしゃっていますよね。私も話す仕事をしているので、大変興味があります。

菅　声楽は、息を吸って声を出すのが基本です。その声を「歌声」にして、音符にのせていく感じですね。そして息の流れをコントロールして、声を全身で支えるようにして歌います。頭の先から足の先までの全身が、共鳴しあって音を出すんです。指先まで響いている感じがします。ですから、例えば、手を骨折してギプスをつけていたとします。すると、もういつものようには歌えません。共鳴が変わるんです。声楽に手の骨折は関係ないと思われるかもしれませんが、声を支えるのは全身なんです。まさに全身が楽器となります。

国谷　菅先生はソプラノ歌手でいらっしゃいますが、ソプラノの学生さんに教えていらっしゃるのですか？

菅　今年度（二〇一九年）は三十二名ほど担当していて、ほとんどソプラノですが、アルト二名、テノール一名、バス一名も教えています。

国谷　先生はソプラノ歌手の中でも高い音域やコロラトゥーラを得意とされていらっしゃいます。練習すると高い音域が出るようになるのですか？

菅　それぞれの学生に合わせていきます。最低限の音域はありますが、レッスンを続けていくと、それぞれの得意な部分がわかってきます。高い音域が得意な学生には、さらに音域が広がるように指導していきます。コロラトゥーラやアジリタと呼ばれるフレーズは、細かい音符をコロコロさせて歌います。音符がギュッと詰まっているイメージです。そういうフレーズを歌うことが得意な学生には、さらに歌えるように、得意でない学生でもテクニックを学べば、ある程度歌えるようになりますので、個々に合わせて指導します。

国谷　高い音はどこまで出せるのですか？

菅　真ん中のド、その上のド、その上のド、その上のソまでです。

全て「楽しい」に向かっている

国谷　ご両親が聖歌隊で、小さな頃から音楽に親しんでいらしたのですね。

菅　はい。実家が教会で、そこで合唱団が練習していたりして、常に宗教音楽が近くにありました。私は、二歳半くらいからピアノを習っていたようです。姉がヴァイオリンを習っていて、私と妹はピアノで一緒にアンサンブルしました。父が牧師でしたから讃美歌《さんびか》が多かったですね。家の中でも、いつも音楽が流れていました。ですから私も自然に音楽に親しむようになりました。赤ん坊の頃からピーピーと大きな声を出していたと言われます。

国谷　ご家族でアンサンブルなど楽しそうですね。音楽を学ぶ上で大変恵まれた環境で育ち、小さい頃からピアノも習っていらっしゃいました。ですが、大学ではピアノではなく、声楽に進まれます。

菅　そうなんです。どちらも勉強したかったですね。どちらも大好きでしたから。ただ、できないことがあった場合、私にとって「ピアノ」は「努力」でした。ピアノは練習を積み重ねて、努力して克服するものだったんです。一方で、私にとっての「声楽」は、「楽しいもの」でした。どんなに難しくても練習するのが楽しい。「努力」とは思わなかった。一生、楽しんで勉強していきたいと思ったんです。それで、私は声楽に進みました。

国谷　それは、どなたか指導者の影響があるのでしょうか。

菅　いいえ。ピアノも、歌も、とても素晴らしい先生に習っていましたので、結局は、自分が声楽のほうが好きだったということでしょうね。

国谷　声楽は、中学二年から勉強を始められたんですよね。

菅　はい。声楽は身体が楽器ですから、ある程度身体が成長していないと駄目なんです。女性でも声変わりがありますから、子どもの頃は児童発声になってしまうんです。ですから、中学二年の冬まで待って習い始めました。

国谷　そして、京都市立芸術大学に進まれます。大学生活はどうだったのでしょうか。

菅　とにかく楽しい四年間でした。高校までは、数学や理科などもすべて勉強するわけですが、大学での科目は、語学科目であれ教養科目であれ、すべてが音楽につながっていきます。何よりも歌うレッスンが楽しくて仕方がない。それが嬉しくて楽しくて、充実した学生生活でした。

国谷　先生とお話ししていると、すべて「楽しい」となりますね（笑）。難しいことなどはなかったでしょうか。

菅　それはもちろんあります。佐々木成子《ささきさだこ》先生という方に師事したくて京都市立芸術大学に入ったのですが、シューベルト作曲の『野ばら』の最初の八分音符四つを、それぞれ三十分かけて説明されるような先生でした。ドイツ語で「ザー アイン クナープ アイン」と歌詞があるのですが、一音一音の強弱や、一つ一つの意味や背景を説明されます。この調子ですから一年でほんの数曲しか進まない。佐々木先生が意図されていることを理解できるようになるまでに時間がかかりましたね。とても厳しかったですが、音楽の奥深さを学びました。

国谷　京都市立芸術大学でオペラの基礎となることはすべて学ばれたわけですか？

菅　京都市立芸術大学は、学生の人数も少なく、その人数でできるオペラシーンも限られていましたから、すべて学べたとは言えないと思います。私自身の未熟さ、不器用さも大いにありますし。ただ、大学の四年間で学んだ基本的な動作は、後々も役に立ちましたね。本学でも、ご担当の先生方から、とてもいい指導がされていると思います。

例えばまず、立ち方です。こうやって立つと客席から、どう見えるかを教えます。そして座り方。座る時も足を平行にそろえるのではなく、少し前後にして浅く腰掛けます。客席からどう見えるのかを意識します。その後の動作のことも想定して座ります。立ち上がった時に、すっと立てるように考えて座るわけです。また、オペラでは歌う時の立ち位置も重要です。どこが舞台の中心か、そして誰に向かって歌っている場面かを考えて、体を向ける方向を決めます。歩く時は身体の中心で歩く、などもありますね。

国谷　今、先生から教えていただいた美しく見える座り方、歩き方はどんな場でも使える普遍性があるものですね。

辞書を片手にドイツへ、そして……

国谷　京都市立芸術大学を卒業された後、ヨーロッパで活躍されるオペラ歌手になりますが、そこに至るまでのことを教えていただけますか？　卒業されてからは、仙台のご実家に戻られて、たまに演奏会に呼ばれる程度と伺っています。そのころのキャリアを見ると、あまり野心的な方ではないような印象を受けます。

菅　そうですね。野心や大志を抱いていたわけではありませんね。全く逆かもしれません。大学を選ぶ時もそうでしたが、とにかく「『好き』なことを勉強したい」という想いだけで、生きてきました。大学を卒業した後も続けて師事していた佐々木成子先生に勧められるままに、海外に行ったのは二十七歳の時。初めて飛行機に乗りました。留学したいと思っていたわけではなかったので、ドイツ語もままならない。辞書を片手にレッスンを受け、聞き取れない言葉は、辞書を指さしてもらいました。片言《かたこと》でも話していると、友人が直してくれる。そうやって語学を覚えていきました。

国谷　ドイツ語もわからないまま留学し、名門であるウィーン国立音楽大学に入学し、首席で卒業される。そしてオペラ歌手としてデビューされる。とても素晴らしい結果を残されます。野心がないとおっしゃっている割には、いざ、チャンスが巡ってきた時は、迷わず飛び込んでいかれるのですね。

菅　向こう見ずなところが大いにありますね（笑）。まさか、自分がオペラ歌手になるとは思っていなかったんです。ウィーン国立音楽大学に進み、在学中に先生の知り合いの演出家からオーディションの話が舞い込み、オペラ歌手としてデビューが決まりました。その後も、次々と仕事が決まりました。声をかけてくださった方への感謝の気持ちで、一つ一つこなしてきた感じです（図1）。

国谷　オペラ歌手としての最初の公演は緊張されましたか？

菅　すごく緊張するはずだったんですけど。オペラ公演はモーツァルト作曲の『後宮からの逃走』で、私はラクダに乗りながら登場することになっていました。フタコブラクダで。リハーサルの時はラクダは従順でしたし、乗り降りの練習もして、なんの問題もなかったのです。ですが、本番はラクダに乗って舞台になんとか出たのですが、ラクダのほうが緊張してしまったのか、綱を引く人の言うことも聞かず、ぐるぐるぐるぐると舞台を歩き回ってしまい、私は降りるに降りられない。ラクダが止まらないのですから。次の場面になって合唱隊が舞台上で移動した時に、ラクダが合唱隊とぶつかり一瞬止まったところで、「今だ！　飛び降りろ！」と言う声が聞こえ、夢中で飛び降りました。その後、ラクダにつかまっていた手が固くなってしまっていて、そちらに気を取られながらも、セリフを言い、歌を歌い切りました。

国谷　かなり高いところから夢中で飛び降りて歌う、大変ドラマチックなデビューでしたね！　衣装だって舞台用のドレスだったのではないですか？

菅　夢中で飛び降りました（笑）。衣装はズボンに巻きスカートでしたので、それは問題なかったですね。そのラクダは次の公演でも暴れ、結局くびになっていました。そんな初演でしたから緊張している余裕はありませんでしたね。

国谷　大変な初演でしたね。くびになったのが先生じゃなくてよかった（笑）。

図1　1991年ドイツ、バート・ヘルスフェルト夏季音楽祭にて、モーツァルトの『ドン・ジョヴァンニ』でドンナ・アンナ役に

それぞれに自分の人生を見つめ、自分軸で考える

国谷　ヨーロッパで活躍された後、大学教員になられて学生を指導する立場になりましたが、今までの話の流れから考えると、そういう目標があったわけではないのでしょう？

菅　はい。全く（笑）。自分が大学で教える立場になるとは考えてもいませんでした。いつも、仕事をいただく時は「私で本当にいいのだろうか」と自分自身に問いかけます。オペラの舞台はもちろん、オーケストラとの共演や合唱曲のソリストをさせていただくといった演奏の時も、足りないところがたくさんあることは自分が一番よくわかっているんです。仕事を引き受けたら、足りない部分が少しでも減るように最大限努力して、一生懸命やります。

大学教員になってからは、教員としての仕事と演奏活動が重なれば、教員としての仕事を選ぶことを私の中の決め事としています。教員としての本務があるのですから、そちらが優先です。そういった縛りの中で、演奏活動をします。それでも仕事が回らなくなれば、自分の時間を削って対応します。それが自分に与えられた役割だと思っています。

国谷　学生を指導する立場になられて、学生に対してどのような印象をお持ちですか？　どんなことを伝えたいとの想いが強いのでしょうか？

菅　そうですね。まずは、時間を大切にしてほしいです。学生はこの学べる環境や、若い「今」が、ずっと続くと思っているように感じます。いつでもできるから、「今」やらなくてもいい、と考えてしまう。もちろん全員ではありません。でも、恵まれた環境にある「今」は続かないし、「今」しかできないことがあるんです。留学も私の頃よりずっと身近になりましたが、その分、恵まれた時間を大切にしていないと感じることがありますね。

それと、もう一つ伝えたいこととして、「見極める」勇気を持ってほしいということがあります。生きていく上で、毎日の歩みの中で、違う方向を向くという決断をしなくてはならない時が来るかもしれません。必ずしも望んでいたような将来が開けないかもしれません。でもその時には、自分の内面とよく対話して、しっかり見極めて、「顔を上げて」違う方向を向く決断をしてほしいんです。諦めるとは違います。ここまで努力したならば、次の展開を考えようと方向転換するんです。

国谷　ただ、この狭き門の東京藝術大学に入学した方には違う方向を向くのは辛い選択でもあり、勇気がいることではありませんか？

菅　はい。ですが、やはり、最終的に見極めて選択する行為は自分にしかできないことです。それぞれに自分の人生を見つめ自分軸で考える。すぐに成果を求めようとするのではなく、目に見えないものを大事にして努力する。そうして見極めていく。最近は、すぐに結果を求めようとする傾向にあります。でも、周囲も少し待ってほしいんです。本人が一番よくわかっているわけですから。本人が考え抜いて決断しないといけない。

私は、さまざまな卒業生を見てきましたし、音楽を職業にしない学生もいますが、それぞれに努力し、見極めた結果です。私はその選択を尊重しますし、演奏家として活躍することだけを求めたり、目に見える成果をすぐに期待するのは違うなと思うんですね。

国谷　先生が担当されている科目「オペラ実習Ⅰ」のシラバスを拝見しますと、到達目標として、次のように書かれています。

「到達目標・カリキュラム上の位置付け：音楽学部の掲げているカリキュラムポリシーに沿って、創造、表現、研究に必要な能力を養い社会に求められる人として育つことを目的とし、オペラについての知識と歌唱・演技表現の基礎を日々の実習を通し修得する。オペラでは、優れた歌唱能力に加え知性豊かな社会的感性の備わった人間性にも優れた人材が求められるため、加えてグローバルな観点に立って自らの演奏行為を充実させられるよう日々の研究を計り修得するものである。」

優れた歌唱能力に加え、知性豊かな社会的感覚の備わった人間性にも優れた人材を育てていこうということですね。

菅　その科目は複数の教員で担当しておりますが、少し目標が高すぎますか（笑）？　どんな芸術でも同じかと思いますが、作品に怖いくらい人間性が現れますよね。どんなに声が美しくても、どんなにテクニックがあっても、どこか表面的であるとか。「あなたは、この曲のどこに感動したの？」と聞きたくなる時があります。人間としての引き出しをたくさん持って、知性豊かであってほしいという目標です。

また、オペラの場合は、舞台を作るには歌い手だけでは成り立ちません。舞台を作る大道具さん、衣装さん、さまざまな方との協調性が必要になるんですね。皆に支えられて舞台が作られていくという協調・協働の精神も教えていきます。

人間としてどう生きるか

国谷　菅先生のお話を聞いていると、学生の指導にしても、ご自身の演奏活動にしても、「人間としてどう生きるか」というお考えが、根底にあるように感じられます。そのお考えは、どのように培われたものなのですか？

菅　おそらく、家族が影響していると思います。自分には、常に生死が隣り合わせだったんです。両親と四人姉妹の六人家族でしたが、今は二人だけです。四人姉妹の一番上の姉は赤ん坊の時に、そして妹は十二歳で亡くなりました。そして私がヨーロッパに行く直前に父が突然死しました。昼まで仕事をしていて午後には亡くなってしまったんです。そして、東日本大震災の数年後、姉が亡くなったんです。姉は、夜、普通に床に就きましたが、翌朝亡くなっていました。

国谷　ご家族一緒にアンサンブルもする、大変仲の良いご家庭でした。辛いご経験ですね。お姉さまは東日本大震災で被災されたのですか？

菅　仙台でも場所によって揺れは異なっていて、姉のいた場所は、建物が全壊するような液状化した地域で、姉のマンション自体は壊れなかったのですが全壊判定が出て、姉は震災時に食器棚も本棚もみんな倒れ、テレビが飛んできたと言っていました。「こんなに揺れたことを、誰もわかってくれない」とも。

震災の直後、私が仙台に行くと、姉が二回りくらい小さくなっていました。しばらくして元に戻り、翌年（二〇一二年）三月になると、また小さくなっていました。姉は「自分は小さくなっていない！」と言っていましたけれども。しばらくして元に戻り、そして、翌年二〇一三年三月、小さくならなかったんですね。「よかった。今年の三月は小さくならない」と安心していると、震災の日（三月一一日）の一週間後の二〇一三年三月一八日、突然亡くなりました。震災が影響したんだと思いました。

国谷　そうでしたか、震災の二年後。震災の影響は計り知れません。

菅　そんな経験もあって、自分の死生観が独特になっていったと思います。自分の命も体もお預かりしていて、その時、その時を、精いっぱい生きるのだと思っています。でも、こういう話は重くなるので、とにかく明るく授業していますよ（笑）。

国谷　もうすぐ卒業式ですが、学生にどんなメッセージを送られますか？

菅　それぞれの人生を大事にしてほしいですね。急がない、慌てない、諦めない。すぐに結果を求めたり、他の人と自分を比較したりしないで、一人ひとり、自分の時間を大切にしながら、しっかり生きていってほしいです。そしてそれぞれの花を咲かせてほしいと思います。咲く時期も異なるのですから、人と比べることなく、自分にとってかけがえのない時間を、自信をもって過ごしていただきたいですね。

「オペラ歌手にも教授にもなりたいと思っていなかった」、「『好き』なことを勉強したいという想いだけで生きてきた」、「成果を急がずに目に見えないものを大事にして努力する」と言う菅先生。少しかっこ良すぎませんか？　と突っ込むべきでした。が、穏やかでにこやかな表情、どこまでも自然体の先生を前に最後まで尋ねませんでした。

「作品には怖いくらい人間性が現れる」ことを学生たちに伝えている菅先生、芸術家に求められる自分と向き合う厳しさを聞いたように思いました。（**国谷**）

03

「この世界の真実を知りたい」

山村浩二
大学院映像研究科アニメーション専攻教授

山村浩二
（やまむら・こうじ）

1964年愛知県生まれ。1987年東京造形大学卒業。1990年代に『パクシ』、『バベルの本』などの子ども向けのアニメーションを制作。2002年に第75回アカデミー賞短編アニメーション部門にノミネートされた『頭山』以降、『年をとった鰐』（スローラーナー）、『カフカ 田舎医者』（松竹）、『マイブリッジの糸』（NFB）など大人向けの短編アニメーションを制作。アヌシー、ザグレブ、オタワ、広島の四大映画祭でグランプリを受賞するなど100以上の映画賞を受賞。絵本作家としても活躍し作詞も手がける。著書に『アニメーションの世界へようこそ』（岩波書店）、『創作アニメーション入門』（六耀社）。川喜多賞、芸術選奨文部科学大臣賞、紫綬褒章受章。映画芸術科学アカデミー会員。

公式HP　http://www.yamamura-animation.jp

最寄りの駅から徒歩でおよそ十分、山村浩二先生のアトリエは静かな住宅地の中にありました。

週末は公開しているという一階には世界各国の短編アニメーション作家のプリントが壁を飾っています。目的の先生のアトリエは二階。大きな細長い机が置かれ、その上には創作に使っている絵の具や小さなお皿、筆、マーカー、鉛筆などがきれいに並べられていました。

机の横の本棚には国内外の絵本や画集、標本、いかにも古そうな革表紙の外国の本に加え、ヨーロッパの蚤の市で見つけてきたのか小さな置き時計がいくつも並んでいました。創作中だという短編アニメーションの主人公が先生の背後の壁からこちらを見ている中、四月下旬の昼下がり、机を挟んで先生と向き合いました。（**国谷**）

自分自身の存在の理解の限界を考えたアニメーション

国谷　アトリエにお邪魔するので、何人かアシスタントの方が一緒に作業しているのかなと思っていたのですが、アニメーション制作はお一人でされているのですか?

山村　基本的にほぼ一人です。手で描いた絵をスキャンしたり、デジタルでの調整などは、妻が長年手伝っています。また、プロジェクトによってはアシスタントを一人か二人お願いすることもありますが、絵に関しては基本的に自分で描いて、合成、編集も自分で行います。

国谷　今、何作ぐらい構想をお持ちですか?

山村　アニメーションの構想は二本で、一本は完成しそうな状態です。たいてい二〜三本並行して作業を少しずつ進めています。

国谷　先生の作品はショートフィルムがメインですね。

山村　そうですね。十分前後が多いですね。最新作『ゆめみのえ』もちょうど十分です。今取り掛かっている作品は長くなりそうで三十〜六十分ほどになりそうです。

国谷　実写の世界と違い、アニメーションはゼロから世界を作り上げる必要がありますが、最初に頭に浮かぶものはなんなのでしょうか。キャラクターなのか、物語なのか。

山村　最初にイメージするものが何かといえば、シーンですね。状況やキャラクターも含め、世界全体がなんとなく頭に浮かんできます。

国谷　先生の代表作である『頭山』の場合は落語が原作です。落語は言葉だけですから、絵も音もすべてオリジナルになりますよね（**図1**）。

山村　原作の『あたま山』を知ったのは十歳の頃です。子ども向けの落語の本で読んで、ストーリーが頭に残っていたんですね。三十歳半ばになってから、漠然と巨大な頭が画面いっぱいにあるイメージが浮かんできたんです。これは子どもの頃に読んだ話だなと。そこから具体的に読み直してみようかなと、子どもの時に読んだバージョンを図書館に探しに行くところから始まりました。

元々は古典落語なので、登場人物は江戸時代の人たちになるんですが、それを現代の自分自身に引きつけて描きたかったので、舞台設定を現代の東京にして、登場人物も現代の人にしています。一番やりたかったのは、オチで自分の頭の中に飛び込んで死んでしまうところです（笑）。落

図1　『頭山』2002 ©Yamamura Animation

語の場合は文章で表現されていますが、そのシーンをアニメーションで創造しようとすると、自分の頭にどうやって飛び込むのかはビジュアルになりづらいですよね。

国谷　最後のシーンは、初めて観た時は状況がわからなかったですね。水に映った自分が繰り返し描かれて、自分の頭に飛び込む表現をされています。

山村　自己言及を繰り返すイメージですね。自分自身を自分で認識しようとすると、時間の複数性による無限後退に入り込んでしまう。「自分を考えている自分を考えている自分……」そんな状況が、『あたま山』のオチから想像されて、自分自身の存在の理解の限界を考えたアニメーションができるのではというところから始まった作品です。落語のオチでは「最後に池ができてうるさくなってきたんで、男は逃げ出して自分の頭の中に飛び込んで死んでしまった」と一行で終わっています。その部分を、最後の二、三分のシークエンスで表現しています。

「思考のカオス」を刺激したい

国谷　先生の作品は、子ども向けのものと大人向けのものとではちょっと違うテイストです。大人向けのものは何回も観ないと理解できないというか。

山村　ちょっと考えてしまうようなものが多いかもしれません。ショートフィルムは何回も繰り返し観やすいので、一回目で理解してもらえなくても、どこか心に引っかかるところがあればいいのではないかと。散文的な丁寧な説明やわかりやすさは省略しています。短い文章を何度も読み込むと、深いところが見えてくることはあると思います。短編アニメーションも同じです。

国谷　今、世の中はわかりやすさが重要視されています。テレビは特にそうですが。イエスかノーか、ウケるかウケないかといったシンプルなものが多くなっています。そういうシンプルさに慣れて違和感を持たない人々が、先生の作品をご覧になったとしたら、きっと戸惑うだろうなと思います。私は報道の世界にいた頃は、あえて視聴者の心にざらつきを残すことを大事にしてきたので、ちょっと似ているかなと感じていて。

山村　社会に起こっていることは、わからないことだらけですよね。なので、僕らのような芸術分野を扱っている者が、人間が言葉や論理で理解できない部分、中間的な部分を担っていくのかなと思っています。生きている中での不条理なこと、人間の精神状態や思考のカオスを映像で表現しようとしています。

人間の心の奥底には、社会的なモラルや模範的な考え方からはどうしても外れてしまうけれど、自分自身もよくわからないものが絶対眠っているはずなんです。そういうものは今の社会では表に出しづらいのですが、そのカオスこそ人類の進化の原動力になっていると思うんです。僕はそこを意識して、そういうところを刺激するものができればいいかなと。ただ、理解しづらいものなので、ポピュラーにはなりづらいのは宿命かなと思っていますけど。

国谷　先生の作品は、人間の抗《あらが》いがたい欲望を、ユーモラスに、少しブラックユーモアで包んで描いていらっしゃると思います。大げさな言い方をすると、人間の原始的な部分をくすぐる感じがします。

山村　それは意識しています。一九九〇年代は子ども向けの作品を多く作っていました。その頃、NHKで放送したものがいくつかありますが、「意味がわからない」とか「子どもが泣くから放送を止めてほしい」というご意見をいただくこともありました（笑）。ただ、そういうクレームが来ても、ストップはかからなかったんです。その頃のNHKは寛大《かんだい》だったなと思います（図2）。

国谷　受け止める側にも、もっと懐《ふところ》の深さがあったんですね。子どもたちは面白がっていたんじゃないでしょうか。

山村　いろいろな意味で印象に残っていたようです。僕は十歳の頃に『あたま山』を読んで、どうして自分の頭の上に飛び込むことができるのか理解できなかった。その不可解な引っかかりが考えるきっかけになっています。なので、子どもたちにある種トラウマになるくらいの刺激があってもいいのかなと思っています。

図2　『パクシ』1992
NHK「おかあさんといっしょ」で放送
©Koji Yamamura/DOUZU/NHK-ED/NHK-SW

フレームの外側にある世界を意識して作る

山村　映像というのは、すごく想像力をかき立てるものです。テレビのフレームの中に映る世界以上のものは目には見えませんが、僕はその外側にもっと違う世界が広がっていると想像する子どもでした。それもあり、世界が今見えている「窓」だけではないというところは、子ども向けのアニメーションを作っている時は念頭に置いていました。

国谷　今先生がおっしゃったことは、私が報道で取り組んでいた時に一番ジレンマを感じていたことに通じています。映像の力はものすごく強いので、テレビで放送されたことがすべてだと視聴者は思ってしまいます。映像になっている部分は本当にごく一部で、映っていないところに真実がたくさんあることをなんとか認識してもらいたいと思っていました。それもありＮＨＫの『クローズアップ現代』は映像パートの他に、スタジオでゲストの先生とトークをするパートを設けて、そこで見えていない部分を補足する番組構成でした。

アニメーションを制作する過程で、最初から映像以外の部分も折り込んで作るのはものすごく難しいだろうなと。しかもセリフがほとんどない状態でやるのは、どれほど困難な作業なのかと。

山村　アニメーションの場合、絵も音もゼロから創作が出発しますし、可能性は無限にあります。フレームの外側を意識しつつ、描かないことで語れることもあると思います。

国谷　コンピュータを使わないのですか？

山村　絵を描く段階では、ほとんど使わないですね。合成など仕上げの作業には使用していますが、元になる絵は全部手で描いています。

国谷　二次元のアニメーションに奥行きを作っていくことにこだわっていらっしゃいますね。

山村　奥行きを感じさせることで、より複雑にいろいろなものが読み取れる作品を作りたいという傾向があります。よく「作品のテーマは何ですか？」とインタビューなどで聞かれることがあるのですが、自分ではわからないんですよ（笑）。自分自身が強いモチベーションを持って作品を作り始める部分は、あとで説明しようと思っても上手《うま》く言えないんです。漠然とした何か全くわからない部分と、これだという確信のような部分とがあって、両方が上手く一致した時に作り始める感じですね。作品を完成させて十年くらい経って、やっとやりたかったことがなんとなくわかるという。

映像は簡単にプロパガンダになりうる

国谷　先生は、メッセージを押しつけることはしたくないとおっしゃっています。

山村　そうですね。映像は危険なんです。影響力が強いので、簡単にプロパガンダになってしまうんです。だからそんなことはしたくありません。メッセージを伝えるのではなく、さまざまな要素が絡み合った複雑なものを提示して、そこからそれぞれの人が何かを読み取れるものを作りたいと思っています。

国谷　大学時代にアニメーションを作り始めた頃から、そういう考え方だったのですか？若い頃は、自分の個性とか、メッセージを前面に出したいと思いますよね。

山村　自分の個性を出したいとは思わなかったですね。自分はあくまで作品の背後にいる裏方で、作家名はわからなくてもいいと、思っていたんです。何かを人に伝えたい、人を感動させたいという気持ちもなく、とにかく、新しいもの、今まで見たことのないようなものを作りたいと思っていました。

国谷　一貫して変わらない。

山村　僕のスタイルは、「スタイルがないところがスタイルだ」って言ったりしますが、「作品ごとに、一回リセットして考える」というやり方をしています。テーマとか、モチーフに合わせた技法とか、描き方とか、語り方とか全てリセットします。そして、自分ありきではなく、作りたいもの、漠然としたイメージに向かって手を施《ほどこ》す。最初のモチベーションをキープして、常にそこに立ち返りながら作ります。振り返ってみると、結局は、一貫してどれも自分自身でしかないわけですけど（笑）。

国谷　描きたいものがなくなってしまう、アイデアが涸《か》れてしまう感じはありませんか？

山村　ないですね。若い頃は一本作るごとに全部放出してすっからかんになる感じがありましたが、常に次の作品を構想していましたし、今はすごく日常的に作品を作っていけるようになりました。なので、作っていて楽しいですし、ペースも速くなっています。今はいくらでも作りたいという感じです。

国谷　いくらでもイメージが湧いてくるのでしょうか。

山村　そうですね。それがなくなることは全くありません。

「絵で語る」ということ

国谷　大学院の授業では、どんなことをされているのですか？

山村　僕が影響を受けた創作の上で重要だと思う短編アニメーションを、まずは観て知ってもらうところから始めます。特に近代・現代の短編作品を紹介しながら授業をしています。

国谷　思想的な部分と技術的な部分があると思うのですが。どちらに重点を置かれているのですか？

山村　両方ですね。紹介する海外作品の作家とも交流がある場合が多いので、かなり具体的に、その作品がどのような発想から作られているのか、どんな技術が使われているかに加えて、その作品と他の芸術との関連について示唆《しさ》しています。座学《ざがく》以外にも、演習も行っています。演習では具体的な課題を出して作らせています。考えるということとは何か？　また自分の考えを超えた大きなもの、偶然性に気付く、そういう部分に刺激を与えたいな、と授業を組み立てています。

国谷　学生に考えさせるのですね。

山村　ある程度絵が描ける人たちが集まっているので、ストレートに自分がイメージしたそのものを描いて、伝わっていると勘違いしていることが多いんです。絶対そんなことはなく、もう一段階技巧的に考えて、自分が本当に思っているところ、考えを別の形にできるかを考えさせます。

演習の一日目に、まず一コママンガを描かせます。戯画《ぎが》、風刺画《ふうしが》といわれるものですが、一コママンガはただの絵ではないんですよね。そこに意味があって、思想やストーリーがあって、いろいろなものが読めるわけです。批判的なものもあれば、思わず笑えるユーモアもある。その部分は短編アニメーションに通じると思っています。

例えば、リンゴというモチーフがあった場合、絵画やイラストであれば、リンゴを平面で表現する描き方に重点が置かれるわけです。一方で一コママンガは、リンゴをただ描いただけでは、どんなに上手く描こうと、リンゴがリンゴであること以上は伝わりません。でも、そのリンゴに何かプラスアルファがあって、意味が発生して、その意味とプラスアルファのオリジナリティこそが一コママンガです。それをビジュアルで表現しなければならない。「絵で語る」と言っていますが、絵で具体的なアイデアを語る例として、一コママンガを最初に描かせています。

国谷　絵に意味を持たせるわけですね。

山村　はい、何かが起こっている状況を、ただ単に描写するだけではアイデアとは言えません。発明に近い、何かと何かを組み合わせて別な状況が発生したり、考えを可視化するためにもっとビジュアル言語として物語らないと、オリジナリティというレベルにはたどり着かないので。

「この世界の真実」に近づきたいという欲求

国谷　先生は著書の中で、「アニメーションはメッセージを伝えるために作っていない」とおっしゃっています。「日々感じている美しくおもしろいこと、興味あることを伝えたい。ある真実を求めて制作をしている」と。あれはどういう意味なのでしょうか？

山村　簡単に言うと、本当のことが知りたいということです。報道ならば、いろいろな社会の出来事を探っていく方法がありますが、僕らは日常的な感覚の中から実際この世界がどういうもので、何なのかを探る。簡単に言うと、実存の哲学みたいなことを創作を通じてやっているんだと思っています。

アニメーションはどちらかといえば、真実やリアリティの真逆のもの、誇張やファンタジー、幻想というふうに捉えがちです。もちろんそういう特性を持っているものです。ただ、自分のように個人的な制作スタイルの場合、すごく自分の内面を見つめる作業になってくるんですね。写経《しゃきょう》をやっているような心境でしょうか。日々連続的な絵を描きながらいろいろ考えます。その中で、世界の存在が果たして本当なのかを知りたいというか。子どもの頃に、宇宙の果てはどこにあるだろうとか、どうしてこの世界が生まれたのかとか、どうして僕たちはここにいるのかとか、そういうことを知りたいと思っていました。

国谷　自分も幼い頃、たくさんの疑問を持っていたのでしょうが、大人になるにつれ、忘れていってしまいました。先生は少年時代に、疑問につながるようなことを、たくさん経験されたのでしょうか？

山村　子どもの頃は、疑問や引っかかりを、ある意味必死に意識していたと思うんですけど、当然ですが、成長するにつれて薄れていったのは実感としてあります。ただ、本当に根源的なものを知らずして、この世を去ってしまいたくない。もしかしたら、生きている間に何かわかるんじゃないか。そんな想いが常にありますね。

国谷　創作時は写経しているみたいだとおっしゃっていて。確かに何十枚もちょっとずつ動かしながら同じシーンを描いていらっしゃると、そんな心境になるのでしょうか？

山村　根源的な何か、真実のようなものを、創作という行為の中で知ることができるのではないかと、思っているんです。それは多分、日常生活を送っている時よりも、創作をしている時の精神状態のほうがより深い思考に入りやすいので。そう思うから、飽きずに創作を続けてこられたのかもしれません。創作をしていないと、逆に生きている実感を得られないし、自分自身の人生を見つめる行為がラフになってしまうのではという気がします。

創作に勝る喜びはない

国谷　先生の元に来た学生たちには、何を学んでほしいと思っていますか？

山村　多くの学生は、大学院の修了制作が、最後のチャンスと感じているように見受けられます。今はアニメーションを作っていても、その人にとって本当に進むべき道は、違うかもしれません。表現の可能性は無限にあるので、それは必ずしもアニメーションである必要はないわけですね。なので、そのきっかけとして考えて、自分自身がやっていることを客観的に見て、考える力を二年間でつけてくれたらいいなと思っています。

国谷　アニメーションは、その人の人生の中でたまたま見つかった表現方法かもしれないということですか？

山村　そうですね。常に自分でやるべきことを探っていけるようにしておけば、自分にも周りにも惑《まど》わされないで、考えていけると思います。

国谷　自分が大学生だった頃に比べ、これだけ世界が複雑になって価値観も多様になってくると、進むべき道が見つけにくいような気がします。

山村　情報に振り回されやすくなっていますね。迷子になりがちです。常に自分に問いかけていてほしいので、ゼミで話す時などは「問いかけ」からスタートします。何にでも「絶対」はなくて、それぞれにいろいろなきっかけがあって、たまたまたどり着いた偶然性。そして、理想との距離感。さまざまな理想に近づいたり、ずれたりしている、そんなことを意識してほしいですね。

国谷　アニメーション制作は自分の内面を見つめる作業だとおっしゃっていましたが、先生ご自身が探し続けていると。

山村　そうですね。たくさん作品を作ってきましたけれど、まだまだできていない、見つけられていないと思います。でも、「作ることは楽しい」と伝えていきたいです。創作に勝る喜びはないと考えています。どんなものでも、いろいろな社会的、物理的な制約があるんですが、自分のイマジネーションを発揮している瞬間って、何からも縛られていない、何でもできる世界です。その喜びを学生と一緒に分かち合いたいと思っています。

創作を通して根源的な真実、本当のことを知ることができるのではないかと自分の内面を見つめ、思考を深めていく。そのことが生きる実感につながっているとおっしゃっていた山村先生、日々精神性の高い自分との対話をされている方は創作していない時はいったいどのように過ごしているのだろうかと思い、尋ねました。

実に楽しそうな表情で「劇映画をたくさん観ています」という答えがかえってきました。最近では月六十〜七十本。ジャンルや時代、国も問わず観ていて、「映画とはなんだろうという問いに近づきたい」という想いがあるとおっしゃっていました。どこまでも真摯《しんし》に自分の中に生まれる問いを追いかける方だと思いました。

そして好きな映画を尋ねると「生涯ベスト1はフランスの監督、ジャック・タチの『プレイタイム』」と迷わず言われました。そしてそこからこの映画についての山村評がほとばしり、止まらなくなりました。

帰宅して早速『プレイタイム』を注文しましたが、まだ鑑賞できないいまま。お楽しみはとってあります。（**国谷**）

04

「手を動かして物を作る、それが人間の原点」

前田宏智
美術学部工芸科（彫金）教授

前田宏智

（まえだ・ひろとみ）

1961年石川県生まれ。1986年金沢美術工芸大学大学院美術工芸研究科修士課程産業デザイン専攻修了。金沢美術工芸大学講師、金沢卯辰山工芸工房金工工房専門員を経て、2007年より東京藝術大学美術学部工芸科准教授。2019年より現職。1995年に美術工芸振興佐藤基金によりイギリス、デンマーク、ドイツ、フランス、オランダにて研修を受ける。第65回日本伝統工芸展日本工芸会総裁賞、紫綬褒章他、受賞多数。

金工《きんこう》棟は美術学部キャンパスの一番奥。前田先生の研究室は二階、部屋の前の壁に飾られている可愛い顔をした鹿の頭に出迎えられました。扉を開けて一歩足を踏み入れると何十年か前にタイムスリップして突然、道具箱の中に迷い込んだような空間。

部屋の半分ほどは畳が敷かれ、先生が仕事をするのに使っている、けやきの大木から作られた高さ三十センチほどの木台《もくだい》がいくつか置かれていました。「畳の上で叩いたり、削ったり、彫ったり、力を入れてもけやきの台は重くて動かないからいいのです」とおっしゃりながら、長年使いこんでいる木台を椅子代わりに勧めてくださいました。**（国谷）**

金属の声を聞きながら、対話するように成形する

国谷　研究室は畳の部分もあるのですね。

前田　はい。昔の藝大の彫金《ちょうきん》研究室が畳だったことに由来しているんです。畳だからこそできることも多いんですよ（図1）。

国谷　見慣れない道具がたくさん並んでいます。壁側にあるのは金槌でしょうか。

前田　そうです。私は金属を彫る彫金が専門です。それと同時に金属を成形するために金属を叩く作業も行います。金属を鍛《きた》えると書いて鍛金《たんきん》と読みますが、彫金と鍛金、どちらも行います。

壁側にある金槌や当金《あてがね》は鍛金の道具です（図2）。作りたい形に合わせて、金槌や当金の大きさを変えていきます。そして、金属を彫るのに欠かせない道具「鏨《たがね》」です（図3）。こちらも小さいですが、何種類も形があって、作りたいものに応じて変えていきます。

国谷　繊細《せんさい》な作品は、このような道具を使い分けて作られているのですね。作品を作る時は分業などをせずに、一人でお作りになるのですか？

前田　はい。分業はありません。工芸専攻の中でも、彫金は最初から最後まで自分で意図的にコントロールできるものなんです。例えば陶芸は窯《かま》入《い》れの時、火の力全てをコントロ

ールできるわけではありません。ですが、彫金は金属を温めながら伸ばしていき、その温度も自分でコントロールしなければいけません。

こちらが「日本工芸会総裁賞」を受賞した《四分一《しぶいち》象嵌《ぞうがん》打出《うちだし》銀器《ぎんき》》です（**図4**）。

国谷　実際に拝見するのと、写真で見るのとは重厚感が違いますね。伝統工芸でありながらも大変モダンに見えます。

図1　美術学部の前身、東京美術学校の彫金科教室（1902年頃、写真：東京藝術大学）

図2　当金

前田　三十三歳で日本伝統工芸展に入賞した時は、器《うつわ》の形を完成させた後に線を彫り込み精緻な模様を付けました。これが金属に装飾する場合の一般的な方法ですが、今回は、全く違うやり方に挑《いど》みました。実際に作品を見ていただくとわかると思いますが、この作品は先に模様を彫り、その後で金属を伸ばしています。彫った模様が、金属を伸ばすことによって縦に伸びたり、横に流れたりする。それを計算していくわけです。自分の言うことを聞かせるよりも、金属の声を聞きながら、対話するように成形していきます。

新しいものへのあくなき挑戦が伝統である

国谷　新しい方法に挑まれたきっかけはあるのでしょうか。

前田　私の出身地の石川県は、金沢21世紀美術館ができ、前衛的なイメージもありますが、元々保守的な土地柄だったと感じます。私が工芸を勉強した頃は、日本の伝統的な工芸の復興に尽力《じんりょく》した方々の価値観が残っていて、金沢生まれの松田《まつだ》権六《ごんろく》先生（東京美術学校教授。蒔絵師《まきえし》。人間国宝。文化勲章受章者）がご存命でした。そんな特有な気風の中、厳しく教えられました。

その後、金沢や富山で活動していましたが、縁があって東京藝術大学に来てから、自分の考えも変わっていきました。ここには物を作る人間が勉強する、学ぶ場としてはいい空気感があると思います。極端に言うと、技法的な適格なアドバイスとか情報がなくても、ここにいるだけで、空気感で作品が作れそうな気がしますよね。誰もが意欲的に新しいものを作っている。新しい表現を模索しています。

国谷　「伝統」と「新しいもの」とは、ある意味真逆のことのように思えます。

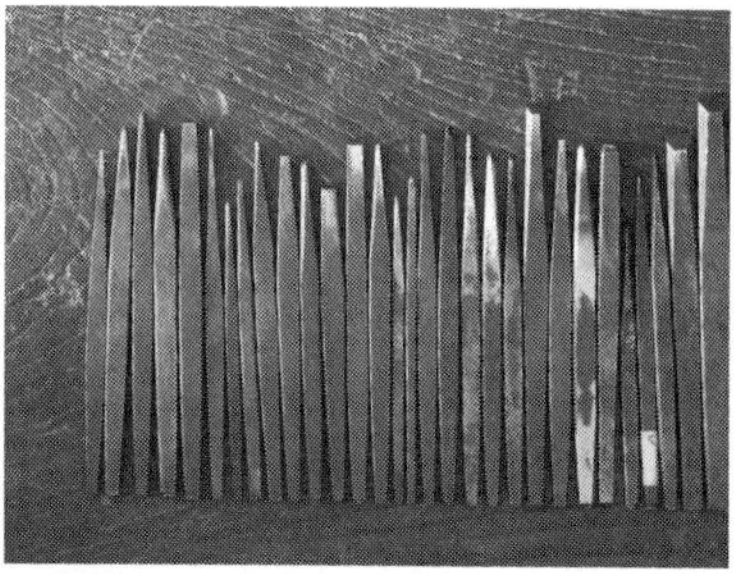

図3　鏨

図4　《四分一象嵌打出銀器》
（平成30年 第65回日本伝統工芸展
日本工芸会総裁賞受賞）

前田　はい。そう思えますが、先人の作品を見ると、単に伝統を継承してきただけではない。常にクリエイティブに新しいものに挑戦し、模索して、時代とともに移り変わってきたことがわかります。現状に固執することに何の意味もない。自分も学生も常にクリエイティブでありたいですね。

国谷　伝統っていうと継承のみと捉えがちだけれど、そうではないと。

前田　そう。伝統工芸は、ただ技術や素材や形式を継承するだけでは私はつまらないと思いますしね。

国谷　新しいものを作るには、基礎となる技術を身に付ける地道な勉強が必要なわけですよね。

前田　例えば手で何かを作るのが上手な人のことを「職人さん」と表現することがあるじゃないですか。一級技能士だとかいろんな名称がありますけど、それはやっぱり人間が習ったりトレーニングしたりしてある程度のレベルに達したっていうことですよね。だけど僕らはそのレベルでものを作っちゃいけないわけです。そこから先の、新しいものを作る。手が動いたり知識があるっていうのは当然身に付けておくスキルだけれど、そこから先が問題なので。作るだけであれば、習えば誰でも作れるので。

国谷　いやいや、誰でも作れるとは思いませんけれど（笑）。

前田　向き不向きはありますね。

発想とは、人間の持つエネルギー

国谷　石川県でお生まれになって、そもそも彫金に魅せられたきっかけは何でしょうか。

前田　うちの実家は元々判子《はんこ》屋さんでした。だから僕は自分の判子は自分で彫るし、金属で判子を彫って売ったこともあります。ですが、僕が小学生の頃に父親が宝飾品を扱うようになったんです。宝石の本がたくさんあり、問屋さんが出入りし、宝石の名前とかもいろいろ耳に入ってくる。大学の進路を考える時、僕は物を作るのは好きだったんで、美術系、それもジュエリーをやろうと思って彫金を選んだんですよ。当時はネットもなかったから、高校生の時に全国の美術系大学に往復はがきで、「彫金のコースはありますか?」って出したら、あったのが東京藝大と金沢美大だけでした。で、実家から近い金沢美大の彫金に入ったんです。

国谷　お父さまは判子屋さんをやりながら宝飾品も。

前田　そうですね。宝飾品の販売とか。ちょっと修理できるぐらいの道具はありました。いまだに、父親が使っていた道具もありますよ。

国谷　この道具自体も美しいですよね。

前田　僕は大学からこういう工芸を勉強したので、道具は一切なかったわけです。だから学生の時は何とか間に合わせていたけれど、三十歳くらいからはだんだん買うでしょう。だから、死ぬ時になっても収支はとれないと思います。この仕事に就いて、払ったお金のほうが多くなるんですね。これをまとめて誰かに売れば別ですけれど。この中には自分で作ったものもあるんですよ。

国谷　小さい時からアートはお好きだったんですか？　何か作っていらしたんですか？

前田　物を作るっていうより、春休みとかに、家にあった画集を水彩絵の具で模写《もしゃ》したりするような子どもでした。中学校ぐらいかな。あの有名な、高橋由一《たかはしゆいち》の《鮭》を描いたことがあります。藝大大学美術館の展覧会に本物が出た時に、僕が子どもの頃描いた模写の写真を学生に見せて、「これ誰の絵だか当ててみろ」って言ったら、学生は模写だって気付かなかった。

国谷　すごい！　緻密《ちみつ》に丁寧に模写されたんですね。

前田　そういう体質はあります。

国谷　すごくものをよく見るっていうか、観察力もおありになった。

前田　はい、その時は遊びでしょうね。観察という点ではカメラも好きなんです。昔はよくずっとカメラを持ち歩いて、気に入ったものは写真に撮っていたんですよ。ある時期から、カメラを持って公園とか行くと、変な人だと怪しまれる風潮になったので、やめましたが。

国谷　最近は、不審者かもしれないって思われますからね（笑）。カメラではどのようなものを撮るのですか。

前田　気になったものをなんでも撮ります。植物、隅田川の花火、取手《とりで》の近く、川の写真、お寿司のコハダ、飲み残しの氷、袋田《ふくろだ》の滝――。こういうところからイメージを抽出していくんです。「テーマ」はなんですかとよく聞かれますが、特にないんです。こういうものの積み重ねです。研究室にも、気に入ったものをたくさん置いております。なにか気分が上がってくるものを。

国谷　こういう日常から発想を得ていくのですか。

前田　発想もですし、作るエネルギーもです。

こうやって、人と話すことでも、作る意欲が生まれてきます。エネルギーが高まると良い発想ができるんですよね。発想だけ求めても、果てしない砂漠で金貨を探しているようなものです。発想っていうのは、その人間が持つエネルギー、力の強さだという気がするんですよ。

手を動かして物を作る行為がアート

国谷　現代社会において、美術の表現が変化してきていますし、社会的なメッセージを発信することも多くなってきています。先生は、現代社会の中で表現されることについて、また、美術表現の社会的な影響について、どのようにお考えですか?

前田　人間は「手を動かして物を作る行為」で、人間らしく生きることができる。それが人間の原点だと思っています。そういったことが少なくなってきている時代だからこそ、人間の一番核になるような人間らしさが大切だと考えてます。誤解を恐れず言うのであれば、面白いものを作ろうと、レーザーとか使って外注して作ることもできる。でも、なぜ、あえて手で作っているかというと、それを自分の行為として、人間の行為として大事に思うからです。

いろいろな社会的な問題を考えるにしても、すごく社会的に活動する人もいれば、僧侶のようにぐーっと精神世界の中に入って考える人もいるじゃないですか。僕は、個人の行為として、入り込んで昇華《しょうか》したものを作っていきたいと思ってます。それは、社会的に活動しないということではなく、「手を動かして物を作る行為」としてアピールしていきたい。行為そのものがアートの一部になっていると思うんですよ。作り続けることで皆に認識してもらい、それが社会的な影響を及ぼしていくと考えてます。

国谷　人間が人間である理由「手を動かして物を作る行為」の部分にこだわりたいっていうことですね。

前田　人間と動物の違いは、人間は物を作ることができる部分。そう考えると、やっぱり作るっていう行為がすごく大事です。すべて手作りであれば、天然であれば正解というわけではなく、その加減は難しいわけですが。

　例えば、天然のうなぎと養殖のうなぎとどちらがいいでしょうか？　そこに超えられないものを感じますし、今の時代だからこそ、伝統技法にこだわることができます。さまざまなことに試行錯誤をしながら、こだわれる部分にこだわります。人が手で作る所作《しょさ》は美しいんですね。作る過程そのものがアートになる。その美しさにこだわっていきたいですね。

作り手と発表する場と見る目

国谷　学生たちは何人ぐらいいるのでしょうか。

前田　少数精鋭主義ですね。彫金で学生三十人ぐらいで、常勤教員二人、助手二人、非常勤二人の六人体制ですよ。かなり細かく学生に対してやれるからすごくいいと思いますよ。

最初一年生に鉱石《こうせき》の標本を見せるんです。金属って、工業製品みたいな板とか棒とかそういうものを思い浮かべるじゃないですか？　そうじゃなくて本当はこういう天然素材で、ここから抽出して、人間の手でいろいろ性格の違う金属が生まれているよと教えています。土とか漆《うるし》だとかは天然素材だけど、金属は工業製品みたいなことを言われるのは嫌だから。

国谷　今の学生たちは、先生の頃と比べてどうでしょうか。

前田　個性豊かですね。どんどん価値観も変わってきています。社会の仕組みも違うから。僕らの頃は作家になりたいとすると、就活もしないで適当にやっててもなんか生きていけたところがあるじゃないですか。今の子は作家になりたくても、とりあえず一回就職しようとします。

リサーチの仕方、情報の入れ方も違いますね。インターネットが当たり前にあり、何の抵抗もなく、そこに載っている写真や情報をそのまま鵜呑《うの》みにしているところがあります。ネットに載っている写真って、誰かの感性で完成された写真なんですよね。でも世の中の人にとっては当たり前になっている。昔の人って、動物を作る時はその動物を飼って観察したわけです。情報も、僕が彫金の技法なんかをネットで見ると、あ、これ違ってるなというのがいっぱいある。それを信じてしまう。

国谷　昔の絵師は鶏を描くために鶏を飼ったり、朝顔を描くために朝顔を育てたりしていましたものね。

前田　鍛金の教室では変形絞り実習で動物もモチーフにしますが、この前は犬を借りてきて、学生たちにデッサンさせていましたから。やっぱり、そうありたいですね。

国谷　この大学ならではの特徴がありますか？

前田　この学校のすごいのは、僕が最初ここに赴任《ふにん》した時に感じましたが、いろいろな資料が身近にあるわけです。かつて田舎では写真集でしか見られなかったものが実物で見られるんです。今の学部二年生が、基礎課題を習いますが、普通の人たちが習いたくても習えない情報だとかやり方をすぐ習えるんですよ。そういう背景と教員がいるから。だから逆に言うと、普通の人が苦労して探ってやることを、当たり前のように最初に学ぶ。しかもそれが、デッサン力だとか造形力が優れた子が入学しているから、その次のステップ、個人の表現のステップに、すっと行けるんですよね。普通だったら覚えるだけで終わっちゃうのに。

国谷　かえる飛びがバーンとできるのですね。

前田　大学の一三〇年の歴史を感じます。

国谷　先生にとって教育に必要なことは何だとお考えですか。

前田　やはり、学生だけでなく、見る目を育てるというのは大切です。狭い範囲の教育だけではなく、作家として創作活動を同時にやりながら、さまざまな人に向けて発信していきたいと思います。いろんな幅広さを持った目で、やっぱり作家だからある程度絞り込んだ作品を作らなきゃいけないわけですけど、自分のポジションは鳥瞰的《ちょうかんてき》に見られるような客観性と主観性と両方持たないと、やっていけません。作り手と発表する場を見る目と、そういうことを同時に行う。だから、学生だけじゃない。いろんな人に対する教育とか啓発活動が必要になってきますね。

金槌を握って創作を続けてきた先生の親指の付け根は見たことがないほど筋肉で盛り上がっていました。「人間と動物の違いは何か。人間は作る。人間の根本にある大事なことは作る行為、だから物を作っている」と対談で繰り返し強調されていたのがとても印象に残りました。

前田先生の少年時代についてお聞きすると、剣道に打ち込み、中学高校時代は友だちとロックバンドを組んでドラムを担当。「自分はずっと叩くことが好きだったのかな」と笑いながら語ってくれました。

三味線《しゃみせん》や長唄《ながうた》もたしなんだ経験を持ち、大のカメラ好き、料理好き。

最後に小さな鉄瓶に沸かしていたお湯で中国福建省《ふっけんしょう》の竹藪《たけやぶ》の中でとれた野生のお茶をご馳走になりました。**（国谷）**

05

「世界にただ一人しかいない自分がどう表現するか」

江口玲
音楽学部器楽科（ピアノ）教授

江口玲
（えぐち・あきら）

1963年東京生まれ。東京藝術大学音楽学部附属音楽高等学校を経て同大学音楽学部作曲科卒業。同大にて助手を務めた後、ジュリアード音楽院ピアノ科大学院修士課程およびプロフェッショナルスタディーを修了。ピアノをハーバート・ステッシン、外山準、金沢明子、伴奏法をサミュエル・サンダース、作曲を佐藤眞、北村昭、物部一郎の各氏に師事。ニューヨーク市立大学ブルックリン校、洗足学園音楽大学大学院、神戸女学院大学等でも教鞭を執り、2011年より東京藝術大学音楽学部器楽科准教授、2019年より現職。世界25カ国以上で演奏活動を行い、40枚以上のCDをリリース。現在もニューヨークと日本を行き来して演奏活動を行っている。
公式HP
http://www.akiraeguchi.com/index-jenter.html

江口先生のレッスン室には二台のグランドピアノがやや窮屈《きゅうくつ》そうに少しずらして並べられていました。ずらして並んでいるのはスペースの関係か、先生が学生の指の動きを観やすくするためなのだろうかと思っていたら先生から「ピアノの重さで床がへっこんじゃって……だからずらして置いているんですよ」と茶目《ちゃめ》っ気《け》のある笑顔で言われました。

江口先生の経歴は異色です。藝大音楽学部の附属高校に入られた時、目指していたのは作曲家で大学も作曲科を卒業されています。大学時代に次第にピアニストになりたいという気持が強くなり大学卒業後ジュリアード音楽院のピアノ科で学ばれました。ピアノを本格的に学ぶのが遅かったのですが、今は海外と日本を行き来しながら演奏活動をされ、また伴奏者としても高く評価されています。どのようにピアニストとしてのキャリアを切り開いたのか、なぜソリストだけでなく伴奏にもこだわっていらっしゃるのか、お聞きしたいと思いました。**（国谷）**

絶対無理だと言われながら

国谷　先生のご家庭は音楽とはさほど関係がなかったようですが、叔母さまのところにオルガンがあって、幼稚園の代わりにヤマハ音楽教室に通われていたと。

江口　はい。うちの父がちょっと変わっていて、家の中で、人が聴かないようなものを聴いていたんです。例えば、宴会芸《えんかいげい》としてシューベルトの《菩提樹《ぼだいじゅ》》をドイツ語で歌いたがったり。家には歌曲やらワルツやらのＬＰレコードがありました。私はそれを見ているのが好きで、聴いているというより見ているのが。

国谷　レコードが回っているのを見るのが（笑）？

江口　そう、大好きだったんです。でも回っている間は聴いているじゃないですか。今でも洗濯機とか回っているのを見ているのが好きなんですよ（笑）。

国谷　藝大に入りたいとご自身で思ってらしたのですか？　親が勝手にレールを敷いてしまったわけでなく？

江口　親のレールは全くなかったですね。逆に父は、ピアノの音がうるさいから早く辞めてくれっていう感じでした。辞めろと言われたら何か悔しくて。それで作曲をやろうと思いました。

国谷　中学の時に作曲をやろうと思ったんですか？

江口　そうですね。「男の子がピアノなんて絶対に無理よ」っていろんな人から言われて。あの当時、女の子のほうがずっと優秀な子が多くて、「男がピアノなんか選んでも将来食べていけないでしょう」って。

国谷　生計を立てられないからですか。

江口　作曲だったら、歌謡曲でも何か一つ当たれば（笑）。じゃあ作曲でもやってみればって言われて。

国谷　しかし、それで藝大音楽学部附属音楽高等学校（以下「藝高」）を目指されるとは、すごいですね。

江口　いや、親も子も世間知らずでした。先生に相談したら「冗談でしょう？」と。藝高の作曲科の受験をするなら、こんな本で勉強して、この知識を得ないと駄目ということも全く知らなかったんです。先生も近所の方でしたし。藝高の二次試験で、ピアノで伴奏を付ける科目があって、本当は教科書に則《のっと》って、メロディーを見て即興で伴奏を組み立てて弾かなくてはいけなかったんです。だけど私はそれを知らなかったので、「このメロディーにはショパン風の伴奏を付けてみよう」という感じで。先生方は理論の知識を見たかったのに、自分は試験で楽しく遊んでしまった。

国谷　それでも結果は合格でした。人生わからないものですね。その時はピアノ科でなく作曲科への入学ですものね。

江口　わからないものです。人よりちょっとできるのは作曲と思い、藝高に進みましたが、この学校に入ってみたら、なんのことはない、一番ビリだったっていう（笑）。でも、当時の先生が知識を根気強く叩き込んでくださって、「絶対無理」と言われながら何とか現役で藝大の音楽学部作曲科に入りました。ただ、自分の中のどこかで、ピアノを弾きたい、演奏したいと思っていましたね。

国谷　作曲理論の訓練を受けずに藝高に入学して、大変でしたか？

江口　そうですね。辛かったことは辛かったです。皆が難しいことをやっている中で自分は一から始めているような状態でしたから。辛かったですけど、根っから楽観的だからか、大変だった記憶はあまりないんですよ。いつも何とかなるんじゃないかなって。

学生のお手本にはなれない葛藤

国谷　たいていの人は高校生の頃に何になりたいって言っていても、本当になりたいかどうかわからない。大学を出ても自分は何をやりたいのかわからない。ずっと迷う人って多いと思いますが、江口先生の場合は、作曲科に進みつつも、やはり「ピアノを弾きたい」と思うようになった。それは、大学に入ってからですか？

江口　そうですね。大学に入ってからですね。というのは、田舎《いなか》育ちだったものですから、高校に入るまではピアノ以外の楽器はほとんど見たことがない。それが、藝高に来たら、いきなり周りにいろんな楽器を使う人がいて、これは面白いと思って観察して、「一緒に弾かせて」って。うちは男兄弟三人で、私はその真ん中でした。お恥ずかしい話、「お前はピアノの月謝を払っているからお小遣いはやらない」という感じだったんです。実際はもらっていましたけれど、それでも楽譜を手に入れることは、なかなかできなかったんです。だから楽譜がなくても自分で聴いて、それをそのまま弾いていた。遊びとして楽しみながらですけどね。それが藝高に来て、初めて見る楽器がたくさんあって、「へーこういう音がするんだ」って見ていたら、ピアノ伴奏譜をくれて、「一緒に弾こう」って。大学ではそれが楽しくて、楽しくて。結局、それがきっかけで、ピアノのほうへ進むことになっていきました。

国谷　「一緒に弾かせて」と言える環境があって、ご自身の可能性が広がり、江口先生の豊かな感性や技術が磨《みが》かれていったわけですね。

江口　いや。自分が嫌なものは全然やらずにきてしまった。幸い先生方が、私が練習しないので諦めてくださいました。

国谷　勇気づけられますよね。こういう方が一流のピアニストになるとは。

江口　だから学生のお手本にはなれないですよ。学生にレッスンする時は、葛藤《かっとう》がありま
す。

国谷　葛藤ですか？

江口　学生はみな優秀なんです。自分は基礎的な練習をやらないで身に付けてきたものが、彼らに本当に合っているのだろうかと疑問に感じるんです。家内もピアニストですが、「あなたの指使いは誰にも真似《まね》できない」って言われますし。基礎的な練習など、積み重ねてきたものが同じであれば、それを元に教えればいい。でも、自分は普通の道を歩いてこなかったから、皆の期待とは全く異なる方向からアドバイスしている気がするんですね。学生たちは面白がってくれますけれども。

国谷　子どもの骨格でピアノを弾くのと、大人になってから弾くのとでは、弾き方が変わる。身体が変化するたびに弾き方を変えなくてはいけないと先生はおっしゃっています。学生一人ひとり、体格も違うし、感じ方も違うでしょうし、ピアノを教えるのはとても難しいでしょうね。

江口　難しいです。手の大きさ、指の形、やってきたこと、積み重ねてきたものが皆それ

ぞれ違う。それを絶対否定することはできない。「あなたのやり方は全部間違っているよ」なんて。それでその人は上手《うま》くなってきたんだから。ただ、そこから先に伸びたいと思った時に、本人が行き詰まっているのであれば、何か新しいことを試してみなければそこから抜け出せない。その手伝いだったらやってあげられるよ、とは時々言うんですけどね。手のことに関しても、自分の手にはこれが一番いいけれど、それがあなたの手に合っているかどうかはわからない。でも、少なくとも自分が好きだったピアニストたちは皆こうやって弾いてたよねって。最終的には自分で決めないといけないというところですね。

音楽家としての心得

国谷　藝大で助手をされていた時に、当時十六歳だったヴァイオリニストの五嶋《ごとう》みどりさんの伴奏をしました。江口先生は二十四歳。どのように感じたのでしょうか。

江口　五嶋みどりさんは、その頃から素晴らしい演奏家でした。そして、五嶋みどりさんの恩師であるドロシー・ディレイ先生との出会いで、自分の人生の全てが変わりました。その当時、ディレイ先生はジュリアード音楽院の教員で、「自分のスタジオにピアニストがほしいから、ジュリアード音楽院に来なさい」と声をかけてくださった。といっても、自分は藝大作曲科を卒業したものの、ピアノをしっかり勉強したことがない。今から自分がピアノ科へ進み、しかもジュリアード音楽院に行くなんてとんでもないと。藝大のピアノの先生に相談しても、ジュリアード音楽院に合格するのは難しいだろうと言われましたしね。でも、それでもやってみようと動き出しました。

国谷　名教育者と言われるドロシー・ディレイ先生に出会い、その先生の勧めで、ジュリアード音楽院に入学。しかも、ピアノ科に進むことになったのですね。

江口　先生に出会わなければ、アメリカに行くことも、ジュリアード音楽院に行くことも、ピアニストになることもなかったですね。

国谷　アメリカの生活やジュリアード音楽院はどうでしたか？

江口　刺激的でした。いろいろと経験して、それが今の糧《かて》になっていますね。ニューヨークではブロードウェイミュージカルのオーディション伴奏をやったりしました。オーディションでは、モデルのように完璧な人が落ちて、個性的な人が合格したりして。審査員の求めているものって面白いなと感じました。その他、教会でピアノを弾いたりもしましたね。讃美歌はほとんど覚えました。その後、教会で弾いたバッハのワンフレーズが、メンデルスゾーンの曲に出てきたりして、「あ！　これはバッハだ」とわかります。ほとんどの人は元の讃美歌を知らない。かけがえのない経験だったと後から実感しました。

国谷　しかも、あの教会の響きの中で弾かれているのですから、なかなかできない経験です。そして、素晴らしい演奏家や演奏家の卵の方々と一緒に学ばれて、いい演奏、いい音楽を山のように聴かれたのではありませんか？

江口　ジュリアード音楽院には藝大にはいないタイプのピアニストがいっぱいいるんですよ。豊かな感性をもって素晴らしい音で非常に美しいショパンの《ノクターン》を弾く。それなのに、ちょっと難しいことをやると「え？　どうしちゃったの？」というくらいガタガタになる。基本的なテクニックが身に付いていていない。こういう人って絶対に藝大にはいない。その逆はいても。その時に思ったんですよね。ジュリアード音楽院では、こういう人材を受け入れているってすごいなと。自分たちが音楽家としてどうあるべきかがここにあると。

国谷　音楽家というのは感性というか、テクニックではない部分が大切ということでしょうか。

江口　そう。両方ですね。作曲家が考えていたことを再現するために必要なのがテクニック。だから、切り離して考えてはいけないし、情感や感情とかを表現するためにテクニックは必要なんです。でも、テクニックだけ持っていても何にもならない。以前、声楽の先生と、このことについて話したことがあるのですが、声楽は歌を始めるのが遅いじゃないですか。身体や声ができてきた高校ぐらいから始める。一方、ピアノは二歳、三歳から楽器に触れている。そんな人たちが同じ大学を目指す。声楽は始めた時期が遅い分、しっかりした意識をもって言葉の意味を理解して音楽的解釈ができた上で、声をのせていく。一方で、ピアノは、幼い頃から学んできたテクニックが先にきてしまって、表現や解釈が未熟でも隠されてしまう。だから、本来の音楽家としてどうあるべきかを意識せずにきてしまう。

国谷　楽器によって勉強を始めるタイミングが異なるし、アメリカと日本の教育の違いもあるのでしょうか。

江口　日本に戻ってきた時、「こんなこともできないの？」と思った瞬間が何度かありました。感性の問題でね。向こうじゃ小学生でも自分で歌うように演奏して表現できるのに、日本の大学生はそれができないのとびっくりしました。

国谷　なぜそういう表現ができないのでしょうか？

江口　ピアノでは小さい時にコンクールを目指して一つの曲を仕上げていくんですが、どんなに小さくても大人みたいな演奏が求められる。弦楽器であれば小さい楽器でできるけれど、ピアノは手が小さくてもこの楽器でやらなくてはいけない。そこでしっかりした音を出すにはこうだというところから始まってしまって。源《みなもと》となるものが育っていないんですよね。小さい頃に家の中でどんなものを聴いていたかは重要です。例えばウィーンの人がウィーンのワルツってこういうものだって思うのは、それしか聴いていないから。でもそれを知らない人は楽譜を見てもウィーンのワルツにはならない。どんなものを聴いて育ってきたかの部分の大きさを、おそらく育てる側がわかっていない。この間、学生にどんな演奏を聴くの？　って訊いたら、日本のどこどこコンクールの何位になった人の演奏をYouTubeで聴きますって。いやいや。彼が上手いのは知ってるけれど、この曲はラフマニノフが自分で録音しているからそれを聴いてごらんって。感性を磨くというか、その感性を磨く材料となるものを得てきていない気がします。

国谷　それは大きな問題ですね。

江口　声楽の人たちは自分の意思で歌いたいと思って、こういう歌が好き、こういうふうに歌いたいと思って声楽科に入ってくるじゃないですか。でもピアノもヴァイオリンも、もしかしたら、そういうものがなくても通り過ぎてこられたのかなっていうことを時々感じることがありますね。

国谷　今、音楽教育を子どもに受けさせたいと思っている親たちへのアドバイスがあるとすると？

江口　とにかく小さい時から本当にいろんなもの、いい音楽を聴かせて。最初に耳に入ってきて自分が好きと思ったものって、将来につながると思ってなくても、必ずどこかで返ってきます。そこの部分をとにかく育ててほしい。誰々さんより上手に弾かなきゃじゃなくて。

楽器と共に音を曲を作る

国谷　江口先生はその後、ピアニストとして活躍されますが、一八八七年製造のスタインウェイのピアノ（ローズウッド）、それもウラディミール・ホロヴィッツが実際に弾いていたピアノと出会って、非常にショックを受けたそうですね。

江口　ものすごいショックを受けました。そのピアノは、これが同じ〝ピアノ〟というカテゴリーの楽器なのかと思うくらい全然違いました。実際にホロヴィッツのピアノを調律していたフランツ・モアさんに施《ほどこ》してもらい、いきなりそれを渡された時に、自分が思っている楽器の概念とは全然違っていたんです。こういう楽器であれば、こうやればこういう音が出ると思っていたものが、全く通用しない。形も機能も同じはずなのに、全然違う。自分が慣れている音を、とにかく何としても出そうと思って、やればやるほどどうにもならない。いい音どころか弾けない。もう指がそれ以上動かない。これは自分のやりたいことをこの楽器に押しつけても駄目だ。この楽器から何かをもらうしかないという発想をしました。「この楽器は、ここからどういう音が出るんだろう。こうするとどういう音が出るんだろう」っていうところから始めました。でも、翌日がレコーディングでしたから本当に数時間しかない。

国谷　かなり危険な状況ですね。

江口　もう絶対に無理だと思いました。そんな中、こういう力具合でこういうふうにやれば、この楽器はこういう音が出るんだ、だったらその音を使ってこの曲を組み立てたらどうなるんだろうって。こっちの言うことを聞かせるんじゃなくて。いつもと反対ですよね。料理にたとえれば、ここにある食材で料理を作る。食材がそろってないのに自分の作りたい料理を作ろうとするのではなく、ここにある食材でどういう料理が作れるだろうかという反対のプロセスです。

国谷　通常、コンサートホールごとにピアノが違うわけですよね。

江口　だいたい似通《にかよ》っているんです。誰が弾いても支障がない状態のピアノになっています。だから、そういうのに慣れていると、個性的なピアノに出会った時にどうにもならない。

国谷　なぜ、そのピアノはそんなに言うことを聞かないんでしょうか？

江口　その当時のピアノの構造上の違いも少しあるんですが、それ以上にホロヴィッツが気に入っていた仕様だったところですよね。彼がいいと思っていたことが、他のピアニストにとっていいかどうかわからない。彼が一番いいと思った状態に整えてもらったんです。本来だったらホロヴィッツしかそういう調整にしない。それをホロヴィッツが気に入っていたピアノだからと無理やりお願いして調律してもらいました。だから、皆さん、「大丈夫？　大丈夫？」って心配してくださっていました。特に調律師であるフランツ・モアさんが心配してくれました。彼が一番よくわかっていたんだと思います。ホロヴィッツじゃないと音を出すことすら難しいと。それでも、途中からは、自分で「あ、なるほど」ってわかり、それこそ「目からウロコ」どころじゃなくて、身体全体から何かが剝がれ落ちて、なんかもう別人ですね。自分の中で別人になりました。その瞬間に今までのピアニスト江口玲は消えたというぐらい別人になりました。

国谷　それくらい楽器の存在は、演奏家にとって大きいものなのですね。

江口　大きいですね。あのピアノに出会わなければ昔のままの江口玲だったと思うんだけど、出会った瞬間にそれまでの江口玲は完全に消えましたね。その後は、「あの楽器では、それまで考えたこともなかったようなことができる。では、この楽器でこの弾き方は、歌い方はどうだろう？」と指の練習というより、音のイメージの練習をするようになりました。

国谷　ソリストとして自分の中の演奏の幅が広がり、それが今も続いているわけですか？

江口　そうです。元々、基礎練習をあまりやってこなかったせいで、変な演奏スタイルではあったと思うんです。それを一生懸命、近づける努力をしていたんですよ。日本の人がいいと思ってもらえるようなものを目指そうと思っていた。自分の中で、そうやらなきゃいけないって。それが、その楽器に出会った時に、普通に弾いたらつまんない。というより普通には弾けない。この楽器が一番よく鳴るためには、こういう弾き方をして、こういう歌い方をして、こういう音の作り方をすればいいのかが見えて。本当にあの出会いはピアニストとして人生の中で一番大きな出会いだったかもしれません。

国谷　演奏家はそのピアノが持っているポテンシャルを引き出して、楽器と共に音を作っていくわけですね。

ただ単にピアニストなんです

国谷　江口先生はソリストだけでなく伴奏者としても、世界から声がかかると聞いています。

江口　伴奏もいっぱいします。アンサンブルは本当に大好きで。ソロを弾くのとアンサンブルを弾くのと、自分の中ではあまり境目がなくて、どちらも楽しい。だから自分は伴奏者とかソリストとかじゃなくて、ただ単にピアニストなんです。

国谷　ソリストと伴奏は、全然違うのではないかと思い、ジェラルド・ムーアが書いた『お耳ざわりですか――ある伴奏者の回想――』を読みました。一九六二年に書かれたものですが、伴奏者は技術者や職人的に捉えられていて、芸術家として見てもらえていない。地位が低かったと書かれています。

江口　そういう時代が長かったですね。かつては、メロディーを歌う人が舞台に立ち、伴奏者は見えない場所で弾くこともあった。ここ数十年でその地位も改善されて、「ピアノも合わせて、一つの音楽が成立しないと駄目だよね」とピアニストを選ぶようになり、アンサンブルを生み出す芸術家として扱われるようになってきました。そもそも「伴奏」という言葉自体が良くないと疑問を呈《てい》するピアニストもいます。どちらかが「主」でどちらかが「従」ではないと。

国谷　今では対等の立場で、芸術家として正当に扱われるようになったと。

江口　ただ、演奏者同士での関係性は改善されつつあっても、演奏会の企画者側の捉え方は、やはり従前《じゅうぜん》のままだったりします。数年前に、ある国で、ヴァイオリンとピアノの演奏会を行ったのですが、企画者側はヴァイオリンのみを主役にしたポスターを作っていました。それを取材に来た記者から、なぜこのようなポスターなのかと指摘されました。その時は、「うーん。自分たちには答えられない。プレゼンターとかプロモーターが考えたことなので」と。結局、演奏者同士で対等に演奏していても、こういうところの意識が変わらない。少しずつ改革したいと思いますね。まだ壁は高いところにあります。

世界にただ一人しかいない自分がどう表現するか

国谷　先生が伴奏する時に、一番大切にされていることは何でしょうか。

江口　自分としては、相手がメロディーを弾いている時は、相手が一番美しく輝いてくれれば嬉しいと感じます。この人のメロディーが一番きれいに聴ける方法で弾いてあげたい。背景をしっかり作ってあげたい。そんな時に、「私が背景です」といって前面に出たらおかしいですよね。その曲に合わせて、背景にもなるし、黒子《くろこ》にも徹します。もちろん、対等の立場で、音を譲り合ったり競い合ったりしながらアンサンブルもできないといけないです。そのどちらも大切にしています。

国谷　アンサンブルの時には、お互いがバランスを取り合うわけですね。よく「息の合った演奏だね」という言葉が聞かれますが、「息が合う」というのは当事者からするとどういうことなんでしょうか。

江口　そうですね。学生の頃は、時間があるので何度も練習して、わかり合うことができましたが、今は、皆忙しくて、数回しか合わせることができない。そんな中で、最初はバラバラでも、二～三回くらい通すと、互いにやりたいことがわかってきて、大まかな地図ができる。その地図さえあれば、寄り道ができてしまう。向こうが寄り道しても、「ああ、寄り道しているね。じゃ、一緒に行きましょう」となる。本番でも、いつもと違うことをやって、それも面白いよねと寄り道する。多分その余裕を「息が合う」というのでしょうね。

国谷　ソロの場合と違ってアンサンブルは相手に合わせるので、相当神経を使いますよね。「聴く」と「弾く」を両方やらなくてはいけない。

江口　相手の音も聴かなくてはいけないし、自分の音も聴かなくてはいけない。それも練習すればできるようになります。時々、ヴァイオリンとピアノのレッスンの時に、ヴァイオリンの学生に「ピアノが絶対に付いてこられないように弾いてみて」と、一方ピアノの学生に「ヴァイオリンに、何が何でも付いていって」と言ってみます。全身に神経を張り巡らせて、ピアノの学生がヴァイオリンに付いていくことができるようにさせます。そして、自分のピアノの音も聴けるように訓練していきます。

国谷　江口先生が伴奏することで引き立てた演奏家がたくさんいると伺っています。ギル・シャハムさん、アン・アキコ・マイヤースさん、竹澤恭子《たけざわきょうこ》さんというヴァイオリニストが世界に羽ばたいていった。

江口　いやいや、そんなことないです。自分としては彼らが気持ちよく弾けたと思ってくれたらそれでいいんです。自分のピアニストとしての資質を、どれくらい彼らと競い合って、一緒に高めていけるか。音楽的にも芸術的にも高めていきたいですし、自分の能力を維持し、そのための努力は続けていきたいと感じます。

国谷　これからもどっちもやっていかれるんですか？

江口　そうですね。自分ではどっちも違和感がないので。伴奏者としても、もっとやっていきたいですよね。相手から得たものはものすごくたくさんあるので、彼らの演奏をどうやってピアノで鳴らせるかなって。例えばこの曲で十枚のカードを使おうと思ったら、十枚持っている中の十枚を使っちゃうより、一〇〇枚持っている中から十枚選んだほうがずっといいじゃないですか。そういういろいろなカードは伴奏相手からもらったって思いますね。

国谷　ここで学生たちに一番教えたいことって何ですか？　一番大事なこと。

江口　一番大事なのは、作曲家がどういうことを考えてこの楽曲を作ったのかっていうことを、ちゃんと楽譜から感じ取ってあげること。それを世界にただ一人しかいない自分という存在がどうやって表現するか、ですね。それが、演奏を聴いた時に、上手だったけれども誰が弾いてるかわからない演奏だったらつまんない。だからコンクールでも、絶対に後悔しないように、自分がやりたいように弾いておいでって送り出します。完璧にミスもなく、ファイナリストになったけれども忘れ去られる演奏より、予選で落ちても強烈な印象を残して落ちたほうがずっといいよって。何とかすり抜けてファイナリストまで残っても、演奏家・芸術家としての価値なんてそこにあるかどうかわかんない。世界に一人しかいないんだから、作曲家が聴いて喜ぶような、世界に一つしかない音楽を表現しなきゃって。

ご自分のキャリアは寄り道がとても多かったと語る江口先生。子どもの頃はピアノで遊んでいただけ、藝大の附属高校を受験した時も「自分は楽しく遊んじゃった」と振り返り、伴奏が好きになっていったのは初めて見る楽器と一緒に弾くことが「楽しかった」から。「一人で弾くのも楽しいけど一緒に弾くのも楽しい。自分は伴奏者とかソリストとかじゃなくて単にピアニスト。ただ脳天気《のうてんき》に楽しい！　それだけでいいんです」。対談の中で「楽しい」という言葉を連発、その表情も本当に明るく楽しそうでした。

江口先生の眼差《まなざ》しが真剣になったのはコンクールを受ける学生たちへのアドバイスを話された時でした。「ミスなく完璧な演奏をするより強烈な印象を残す演奏のほうがずっといい」。感性を磨くことがいかに大切かを語る表情が印象的でした。**（国谷）**

06

「感動の瞬間を追い求め、作り続ける」

黒沢 清
大学院映像研究科映画専攻教授

黒沢清
（くろさわ・きよし）

1955年兵庫県生まれ。1980年立教大学社会学部卒業。大学時代から8ミリ映画を撮り始め、長谷川和彦氏、相米慎二氏に師事。『CURE』（1997）で世界的に注目され、『回路』（2000）で第54回カンヌ国際映画祭国際批評家連盟賞を受賞。以降も、『アカルイミライ』（2002）、『トウキョウソナタ』（2008）、『岸辺の旅』（2014）などで国内外から高評価を得る。自身初のフランス映画『ダゲレオタイプの女』（2016）、第70回カンヌ国際映画祭ある視点部門出品、および芸術選奨文部科学大臣賞を受賞した『散歩する侵略者』（2016）、第72回ロカルノ国際映画祭クロージング作品『旅のおわり世界のはじまり』（2018）など話題作多数。最新作『スパイの妻』（2020）で第77回ヴェネツィア国際映画祭銀獅子賞を受賞。1997年より映画美学校講師、2005年より東京藝術大学大学院映像研究科教授。

黒沢先生との対談は、横浜の馬車道《ばしゃみち》駅の出口からすぐの重厚感ある藝大の校舎で行いました。横浜市の「歴史的建造物」の認定を受けている三階建ての建物は、昔は富士銀行だったそうで、機材保管場所として使用されている部屋には分厚い扉の金庫が残っています。入り口からすぐの天井の高いスペースにはセットが組まれていました。この場所で黒沢先生が監督した『トウキョウソナタ』のラストシーンも撮られたとのこと。

大学院の映画専攻の入学定員は三十二人。ここでは映画研究ではなく、映画制作技術者の養成を目指していて学生全員が制作に携わっています。創作に特化した大学である藝大で、黒沢先生は二〇〇五年の映像研究科設置当初から教壇に立たれています。現役の映画監督がどのような想いで学生たちと向き合っているのか伺いたいと思いました。（**国谷**）

これまでやったことのないことをやりたい

国谷　こういう教室（小視聴覚室）で試写や授業をするのですか。

黒沢　僕の場合は基本のパターンとしては、既成の映画（ＤＶＤ）を一本観てもらいます。隣の大視聴覚室の大きなスクリーンで観てもらって、観終わったあとこちらに移動して、小さなスクリーンが出るので、今観た作品を部分的に観ます。「ここはこうなっているんじゃないか」とか「ここはこういう意図でこうしたんじゃないか」とか、分析みたいなことをする感じです。学生たちはいろんな領域、監督だとか撮影、録音、編集といった学生で、ほぼここはいっぱいになりますね。まあ三、四十人。それが基本ですね。説明して、だいたい時間いっぱいで終わりです。質問する余裕もない。もちろんどうしても聞きたい人は後で個人的に聞いてって感じです。

国谷　最近の映画で、黒沢先生が学生たちと議論したいと思うような作品はありますか？

黒沢　最近のもの……例えば、今年（二〇一九年）の春頃に上映されていたクリント・イーストウッド監督・主演の『運び屋』かな。

国谷　クリント・イーストウッド監督。作曲もされますし、素晴らしい方ですよね。

黒沢　主演で監督ですからね。特別な選ばれた人にしかできない。日本では北野《きたの》武《たけし》さんですよね。演劇やミュージシャンなら作者本人が出てくることはありますが、映画では稀有《けう》なケースです。人前に自分の肉体や声をさらして、それが価値になる。特別な才能のある人にしかできないことです。人間歳を取ってくると、ある一つのものをずっと深めていくタイプの方が割と多くなってくるような気がします。でもイーストウッドは、次何するか全く予想がつきません。ありとあらゆるものをやり尽くそうとしている感じが羨ましいですね。

国谷　黒沢先生も多彩です。

黒沢　そういう在り方に憧れているっていうのもありますけれど、あまり自分のテーマとかスタイルとかは決めたくないんですね。いろんなことをやりたい。「次何をやりたいですか」とよく聞かれますが、一番わかりやすい答えは、「これまでやったことのないことをやりたい」です。

映画はずっと危うい状況

国谷　黒沢先生は、映画はずっと危うい状態だとおっしゃっています。今はNetflixなどの動画配信サービスがあって、その作品がアカデミー賞を獲るようになったり、クラウドファンディングで制作したり、ドキュメンタリー作品も以前より劇場公開されるようになりました。一方でディズニー作品も元気です。

黒沢　世界のあちこちでいろいろな事が起きていますので、一言では言えない状況ですね。「映画が危うい」というのも、映画を映画館で観るシステムがなくなってしまう危機は何十年も前からあって僕の若い頃からテレビがありましたし。映画館がなくなるんじゃないかと言われて何十年です。

Netflixとか、ネット上で観られるものがたくさん出てはいるのですが、今のところぎりぎり「映画は、映画館で暗い中、皆で大きなスクリーンで観るものだよね」という夢がある。そういう夢が残っている限りは映画は続いていくと考えています。理想形は映画館で上映だという感覚。そういう感覚すら知らない世代が出てくると、本当に「映画が危うい」と思います。

国谷　日本で映画を制作する環境はどういう状況ですか。監督として作りたいものが作れなかったりしますか。

黒沢　かなり危ういぎりぎりのところです。簡単に言いますと、日本映画でいわゆる経済的にお金を稼げるのは、アニメを除けば年間十本くらいです。一方、撮られているものは五〇〇〜六〇〇本。つまり、映画の会社の収益からいくと、十本以外はリストラ対象なわけです。そうなると、僕を含めて優秀な技術者も失業です。何年か続くと技術もなくなるでしょう。一本の映画を作ることは大変なことで、実験をしながら積み重なっていくから映画は続いている。それが十本でいいと言われたら、その段階で日本映画は終わりますよね。

国谷　今は映画館、DVD、ネット配信など、ある意味では視聴の機会が拡大してきている。もしかしたら七十七億人の世界の人に観てもらえるチャンスも広がっているのではないか。日本のアニメーションは世界中で観られていますし、もっと楽観的になってもいいのではと思いましたが。

黒沢　メディアを通じて作品が世界に広がっていけば、悪いことは何一つないのですが。海外に行くと若い人たちが、「あなたの映画全部観ています。大ファンです」と言ってくれるんです。「え？　どうやって観たんですか？　あなたの地域では公開していないはずだけど」と言うと、「いや、YouTubeで全部観られますから」って。つまり海賊《かいぞく》版なんです。「全部観てます」って言う彼には全く罪悪感はない。僕は心の中では、「あなたそれ犯罪です」と思いながら、「ありがとう」って言います。本当に観たい人が観てくれたんです。こんな嬉しいことはない。でも僕は一銭も儲からないし、かかった経費も回収できない。そんなことも含めて、まぁ辛いですけれども、それが現実です。僕も別に貧困にあえいで餓死《がし》するまで至っていないですし（笑）。

「映画は一生かけて付き合うに値する」

国谷　黒沢先生は立教大学在学中から八ミリフィルムで制作を始められて、卒業後に有名な監督の助監督になられ、一九八三年に商業映画デビューをされた。ただ、その頃の映画界は大きな映画会社が倒産したりして、昔からあった撮影所システム、人材育成システムがどんどんなくなって、ピンク映画が収益の柱になるような時代。先生も撮られていますが、ちょうどテレビの勢いが強まる逆風の中、映画界を生き抜いていらっしゃいました。

黒沢　一九五〇年代、六〇年代の日本映画の撮影所システムには、目を見張るものがありました。世界史上の傑作が日本で撮られていて、監督だけでなく、スタッフたち、俳優も脇役に至るまで、世界的にすごいものを作っているという意識もなく作っている。そういう過去の撮影所時代の遺産があって僕は助けられています。監督のやりたいことを可能な限りハイレベルに実現してくれるシステムですね。ピンク映画みたいなものでもそうですし、Vシネマの世界でも、そうです。監督が言うなら「面白いですね。やりましょう」と言ってくれる。それは本当に芸術的だと思いました。芸術という言葉が相応《ふさわ》しいかわからないですけど。

「これをやったら客が喜ぶ」とか、「それをやったら儲かる」とかのレベルではなく、「それはすごく有意義なものだ。映画にとって正しいことだ」という価値観が、みんなの中にあるんですね。たとえ儲からなくても日本映画が作られて、なんとかそこでいいものができるのではないかと頑張る土壌《どじょう》が今も続いています。

国谷　皆さんの映画への確固たる、強い誇りを感じます。黒沢先生自身が逆風の中でも映画にこだわる情熱の部分、こだわり続ける核にあるものってなんですか?

黒沢　若い頃から映画をたくさん観てきて、いろんな国で、すごい映画が山のようにあると知っているので、いつかそれに追いつきたい。何とか少しでも追いつけるような作品を撮ることはできないのだろうか。その想いが、いまだに続いています。

それと、個人的なことで言えば、立教大学で蓮實重彥《はすみしげひこ》先生の授業を受けて、強烈な影響を受けました。作る、観る、しゃべる、考える、書く、どんな作業も全部一貫して、「映画は一生かけて付き合うに値する」と強烈に蓮實さんから叩き込まれました。僕は幸い「映画を作る」を続けられていますが、作る以外でもいいし、評論してもいいし、「まず映画を観る」ですね。映画は、若い頃に学んで卒業するものではなく、死ぬまで続けることなのだと教えられました。

国谷　ものすごい火を灯《とも》したのですね。蓮實さんは。

黒沢　僕が大学生の頃、蓮實さんは無名でした。たまたま映画の授業だから出たんです。それは本当に偶然です。ラッキーでした。最初は一〇〇人いた学生が、最後は十人になっていった。そうなってくると、残った十人が、「我々は選ばれた。蓮實さんの言葉を理解できるのは我々だけだ」となる。「蓮實さんの言葉を理解できる数少ない我々は、この言葉を世間に広めなければならない」という使命を負うわけですね。ほとんど宗教に近い強烈な啓示《けいじ》を体験しました。その言葉を広めるために今日まで僕は活動している（笑）。蓮實先生がこのインタビューをご覧になって、そうじゃないんだよと言われるかもしれませんが（笑）。

予期しないような偶然は現実に起こりうる

国谷　黒沢さんは、「誰も見たことがないことが画面で起きていて、それが起こりうると皆が信じて観てくれるというのが映画で、それが実現できた時に途方もない感動がある」と書いていらっしゃいます。

黒沢　例えばですが、あるシーンを撮っていて、俳優が何度かリハーサルして、さあ本番だとなり、俳優があるセリフを言った後に、ばぁ〜と風が吹き、後ろの木々がざわざわと揺れる。あるいは、曇《くも》っていたのに、ある瞬間ぱぁっと日が差してくる。予期はしていなかったけれど、そういうことがいつか起こると信じていると、ある時やはり起こるんですね。映画を撮っていて。意図的にそれを起こすこともできますが、意図せずそれを呼び込むっていうのが、多分アニメーションではできないんですよ。実写だからできる。この瞬間、風が吹くとは誰も思っていなかったっていう時に風が吹く。これは何にもかえがたい感激する瞬間ですね。おそらくこの感覚って、小説で書くことも難しくて、演劇でやることも難しい。ある現実世界にカメラを向けて起こった出来事のすごさだと思うんです。

国谷　言葉にならないことを映し出す芸術、でしょうか。誰も観たことがないことをスクリーンに映し出したい、それを観ている人が本当に起こったことの如《ごと》く感じとる。

黒沢　それが映画を作る最大の醍醐味《だいごみ》というか魅力ですね。あの手この手でハリウッドはお金をかけて再現しようとするし、お金のない人は風が起きることを待ち構える。そういう根源的なすごさを撮りたいという欲望が映画を作りたいという根源にあると思いますね。

言葉にならない気持ちを映画に

国谷　黒沢先生が追いつきたい映画とは、どんな作品ですか。

黒沢　例えば、小津安二郎《おづやすじろう》監督の『風の中の牝雞《めんどり》』です。『晩春《ばんしゅん》』の一本前で、戦後すぐに撮った映画で、僕からすると小津の最高傑作です。まあ悲惨な現実を映していて、戦後すぐ、まだ焼け跡が残っている東京で撮っています。あらすじは、戦争に行った夫が帰って来ず、妻が一回だけ身売りをしてしまって、その後、夫が帰ってくるというものですが、残念ながらそんなにヒットしなかった。小津はその反省から、その次の年の『晩春』は、戦争なんかなかったかのような、絢爛《けんらん》というか一種独特な世界を撮っていますが、実はその一本前はけっこう生々しかった。どうやったって手の届かない大傑作ですね。外国映画ですと、小津とは全然違いますが、『サウンド・オブ・ミュージック』。何度観ても大傑作です。

国谷　私も『サウンド・オブ・ミュージック』は繰り返し観た大好きな映画です。

黒沢　何がすごいって、あれはミュージカルですけど、〝歌っている人〟の映画なんです。同じ監督の『ウエスト・サイド物語』は完全なミュージカルで、歌が始まるとミュージカルシーンに切り替わり踊り出す。一方で『サウンド・オブ・ミュージック』は歌が始まるんですけれど、ミュージカルシーンにはならない。歌っている人を撮っている。それが不自然じゃなく成り立っている。それがすごいと思うんですよ。

国谷　最新作（対談時）『旅のおわり世界のはじまり』でも前田《まえだ》敦子《あつこ》さん演じる葉子がラストシーンで歌います。

黒沢　はい。あれもミュージカルシーンではなくて、〝歌う人〟を撮りました。

国谷　黒沢先生は、二十一世紀はもっといいことが起きると思っていた、こんな時代になるはずじゃなかったとおっしゃっていたことがあります。私も共感します。どんどん悪いほうにというか、ギスギスして社会の中の寛容《かんよう》さも無くなってきて、何か変に歯車が回り出している。皆が自分のことを守るのに精いっぱいという感じもします。

黒沢　そうですね。他者への思いやりというものがこうまでなくなっていくの？　っていう。驚きます。

国谷　電車の中でたびたび見かける風景、ちょっと肩が当たっただけで怒鳴る。一昨日もタクシーに乗っていたら、バイクに乗った三十代ぐらいの人がニコニコしながら文句を言いに来て怖い思いをしました。

黒沢　本当に、他者というものをどうしてこんなに警戒し出し抜こうとし、自分と自分の周りのごく一部の人だけで固まろうとするのか。いつこうなったんだろう、何で垣根を作ってしまったのということは日々感じています。本当にそれは、どうしたものかと思いつつ、そんな事態に対して何もできなかった自分を深く反省するばかりです。

実はこの間作った『旅のおわり世界のはじまり』という映画も、そういう思いも働いて作った映画です。他者との間にものすごい境界線を作ってしまった主人公が、ほんの少しその境界線を緩《ゆる》やかにできないかというテーマ。

国谷　言葉にならない気持ちを映画にしていただきたいと期待をしています。

昔あった撮影所のように、若い人につなぎ綿々と残していく

国谷　二〇〇五年に藝大に映像研究科が設置され十四年経ちましたが、撮影所システム、映画を制作するのに必要な領域が全部ここにそろっていて、プラットフォームとなっていくという当初目指したものはできてきましたか？

黒沢　ある程度できていると信じています。それは簡単なことではないですし、完璧な撮影所の再現は難しい。撮影所に専属でいた俳優たちがここにはいないので、そこに大きな違いがありますが、今の日本映画界の中に、撮影所に必要な人材を、わずかずつですが生み出せていると信じています。

国谷　今ではさまざまな大学に映画学科とか映像学科とかがありますが、藝大が特にこだわっているところはありますか？

黒沢　藝大の一つの特色だろうと思うのは、監督領域は一学年四人しかいない。ですから必ず一人一本撮ります。入学しさえすれば絶対に撮れる。それはラッキーなことでもありますが、他の三本と比較され厳しい場に立たされることでもあるんです。それでも撮らな

撮影用セットが組まれた馬車道校舎
1階のロビー

馬車道校舎入り口

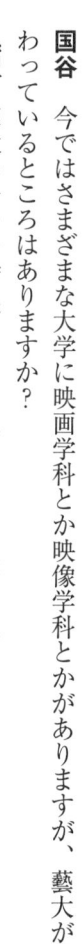

いわけにいかない。撮影所ってそういうことだと思うんですね。あなたが撮らないとあなたの問題だけじゃないんだ。カメラマンも録音技師も皆が困るんだと。

国谷　監督が撮らないと、カメラマンも録音技師も仕事がない。

黒沢　そう。学生であっても、かなり追い込まれます。それが他の大学と違うところです。

国谷　先生方が入試で学生を選ぶのも、大変ではないでしょうか。

黒沢　これまでに撮った作品を提出してもらって面接もあります。短い脚本を与えて撮れとかいう課題もあります。だから何パターンかの試験を経て最終的に残った若者の質はかなり高い。その人の作った作品を観て、駄目なものは最初の一分でまあわかりますね。他の試験官も同じ感覚です。ある程度ふるい落とした後、最終的に四人に選ぶのは難しいですけどね。

国谷　そんなにすぐにわかるものですか。

黒沢　我々は目利《めき》きなんですよ（笑）。最初からどこに行っても上手くやるであろう人を、いち早く見つける。だから、本当は教えることは何もないんですけどね（笑）。

国谷　そんなことはないでしょうけれど（笑）。修了生の濱口竜介《はまぐちりゅうすけ》さんや月川翔《つきかわしょう》さんも活躍されています。

黒沢　そうですね。我々が教えたことになっていますけど、本当は選んだだけです（笑）。

国谷　優れた監督さんになる学生の素質というものはあるのでしょうか？

黒沢　まず、こういう映画が面白いという感覚を何となくわかり、目指そうとしていることがうかがえること。それと、映画は皆で作るものですから、人が何をしたいか、何を望んでいるか、それを理解して自分に取り込んでいける能力でしょうか。能力というかキャラクターですね。

国谷　日本の映画界に人材を送り込めているという実感は持てますね。

黒沢　それはそうですね。彼らのうち何人かは藝大に来なければ全然違った人生を送っていたかもしれない若者を無理やり、まあ本人が望んだからなんですけど、僕がかつて蓮實さんからされたように、もう映画から逃《のが》れられない人生にしてしまったという自負と若干《じゃっかん》の罪悪感（笑）。

思い通りにいかないところに個性が出る

国谷　学生にはそれぞれの個性を活かして映画を制作するよう指導するのでしょうか。

黒沢　自分の個性を発見してほしいですが、映画は個性を発揮する場所ではないんです。難しいところですが。映画は多くの人の力が集結してできるものなので、自分の個性を出そうと思うなと。でも、映画史上の傑作を目指して、狙っても狙っても思い通りにいかない、思い通りにいかないところに個性が出てきます。

国谷　う～ん。それは、難しい話だなあ（笑）。

黒沢　個性というのは難しいもので、自分で三、四本映画を撮って、思っているようにはいかず、他人から「あなた、またこんなことやっていたよ」と指摘されるようなものですね。自分が目指しているものでは全くないもの、ある時、人に言われて気付くもの。それが個性でしょうか。背負っている運命のような、逃れたくても逃れられないようなもの。「もう個性だと思って諦めよう」となる。

国谷　無意識にも繰り返しているもの。それが個性ということでしょうか。

黒沢　そうしようと思ってないのにやってしまう。後からわかってくるのですが。

国谷　学生にこれだけは教えたいということはありますか？

黒沢　ものすごい、あっと驚くような瞬間を作り出して、多くの人に感動してもらうことが、映画の最大の使命ということを忘れないでほしい。それと、映画は共同作業なので、いろんな人の意見が入ってきます。ああやりたいこうやりたい、ああしろこうしろ、これはできないやらせない、これだけしか予算がないとかですね、そうした中で絶望しないでほしい。こんなに何もできないのかと絶望しないでほしい。そんな中でも「絶対にできることがある」と信じてほしい。これは言い続けています。

この時代どうやったら監督になれるのですか？　と尋ねると、黒沢先生は「まず自分で撮ることでしょうか。今はデジタルで撮ることができます。傑作を撮って映画祭に出す。それがヒットすることもありますから。映画を撮ることは仲間もお金も最低限必要ですけど、友だちに声をかけて一本映画を撮ってチャンスをうかがうことが近道だと思いますね」と答えてくれました。

先生が好きな映画として『サウンド・オブ・ミュージック』と答えられて正直驚きました。えっ大監督が私と一緒!?　私事ですが「I Have Confidence」と歌うジュリー・アンドリュースにこれまでどれだけ励《はげ》まされてきたかわかりません。何にもかえがたい観る人が感動する瞬間を追い求めて作り続ける。黒沢先生の映画へのパッションが静かにほとばしっている授業を想像しました。**（国谷）**

07

「誰でも芸術と出会える社会を目指して」

熊倉純子

大学院国際芸術創造研究科アートプロデュース専攻教授

熊倉純子
（くまくら・すみこ）

1958年生まれ。慶應義塾大学文学部文学科仏文学専攻および同哲学科美学美術史学専攻卒業。パリ第十大学・パリ第一大学留学後、慶應義塾大学大学院文学研究科修士課程哲学専攻修了。社団法人企業メセナ協議会を経て、2002年より東京藝術大学音楽学部音楽環境創造科助教授、2016年より現職。大学院国際芸術創造研究科長も務める。アートマネジメントの専門人材を育成し、「取手アートプロジェクト」（茨城県取手市）、「アートアクセスあだち　音まち千住の縁」（東京都足立区）など、地域型アートプロジェクトに学生たちと携わりながら、芸術と市民社会の関係を模索し文化政策を提案している。

熊倉先生の拠点となっている千住キャンパスは北千住駅から歩いて五分弱。駅周辺の曲がりくねった細い路地には古い小さな家屋を改築した魅力的なレストランやカフェが点在しています。以前は小学校だった校舎を改修・増築して、体育館は演劇やダンスもできるホールとして生まれ変わっています。

最近、芸術の力を使って地域の活性化をしたり、アートを通してさまざまな分野の人々をつなげてイノベーションを模索したりする動きなどが活発になっています。芸術と社会をつなぐ、アートマネジメントの世界が広がっていますが、大学で美術史を学んでいた熊倉先生はどのようにアートマネジメントの世界に出会い、この新しい分野の専門家になったのか。また芸術と社会をつないでいくとは具体的にどのような仕事なのか知りたいと思いました。（**国谷**）

芸術は万人のものである

国谷　いつもお目にかかる時は会議ばかりで、授業についてお話を伺うこともなかったのですが、「アートマネジメント」を教えていらっしゃるんですよね？

熊倉　はい。音楽学部音楽環境創造科と大学院国際芸術創造研究科で授業をしています。二〇一六年からは大学院国際芸術創造研究科に所属していますが、この研究科ができるより前に音楽環境創造科に赴任《ふにん》しました。学部の中では新しい、といっても二〇〇二年に新設されたので十八年経ちましたね。最初は取手《とりで》に置かれたんですけれど、そこには全くスタジオとか音が出せる設備がありませんでした。その後、足立区が提供してくださって千住に移転しました。

音楽環境創造科は作曲をする先生もいれば録音とか音響のことを教える先生もいますし、私は芸術と社会の関係を、実際に文化事業を起こすことによって考える。毛利《もうり》嘉孝《よしたか》先生は社会学者なので、自分たちで文化イベントを起こすというより、もうちょっと社会学寄りの視点で、現代思想もからめてアプローチをするとか。非常に領域横断的な学科です。校舎は足立区に建てていただきました。

国谷　区民から来てほしいという強い要望があったんですね。

熊倉　ありがたいですね。今、北千住はいろんな路線が入ってきてとっても便利になって、マンションもできて新しく越してくる人が増えました。町に愛着を持ってほしい、新しく来た人と古くからの人情味溢《あふ》れる下町が出会える、新しい縁を作れるようにと願って、「音まち（アートアクセスあだち　音まち千住の縁）」というのを二〇一一年に立ち上げました。我々も町の中にご縁ができて、この対談場所である「仲町《なかちょう》の家」のように、希有《けう》な文化財的な意味のある建物を地元の方から貸していただいたりしています（**図1**）。

国谷　「音まち」は熊倉先生が携わったプロジェクトですね。

熊倉　はい。私の専門は文化事業の中でも、美術館で展覧会を開くとかコンサートホールでコンサートをするのではなくて、そういう文化施設とはちょっと縁遠いかなと思っていらっしゃる一般の市民の方々の日常生活の近くに、いろんな形で寄り添うような芸術のあり方を、実践から模索していこうというものです。

国谷　藝大にあるアートマネジメント研究分野と聞いて、

図1　文化サロンとして定期的に公開されている「仲町の家」

音楽や美術の学生が卒業後にアーティストとして活動できるように、マネジメントする人材を育てる分野かと思っていましたが、今お話を伺っていると、もっともっと広い。もっと地域性を持った社会性のあるものですね。

熊倉　アートマネジメントっていうのはアーティストと社会をつなぐものなんです。一般社会の中には、つなげる人がいないと案外出会えない人たちがいる。芸術って聞いただけで、「私なんて」って尻込みしてしまう。「敷居が高い」とか「芸術には縁遠くて」って。

国谷　みんな自信がなくて、畏《おそ》れ多いと思ってしまう。

熊倉　アーティストの方も、いいものをやっていれば誰かに必ず伝わると思っている。それは間違ってはいないけれど、難しい。でも、そういうものの面白がり方がわかると、専門知識や特別な教養がない人でも、作品に対して感想を持ったり、非常に正確な批評をしたりするようになります。そういう瞬間を目の当たりにして、つくづく、「芸術は万人のものである」って感じます。

芸術論を押しつけるのではなく、ひたすら聞く

国谷　アートマネジメントの仕事は、いろいろな方に柔軟に対応しなければならないと思

います。何か信念を持っていらっしゃらないと、大変な交渉も乗り越えられなかったのではないでしょうか？

熊倉　無駄な信念ですが、「ラスコー洞窟の壁画の時代から、衣食住足りなくても人間に芸術は必要」っていう信念だけはありましたね。証明のしようがないんだけれども。

交渉といえば、大巻伸嗣《おおまきしんじ》先生（美術学部教授）とのシャボン玉のアート（《Memorial Rebirth千住》）にしても、足立区と何度喧嘩《けんか》したことか（笑）。地元の方のお叱りもしょっちゅうで。クレームも聞きましたね。論破《ろんぱ》なんてできないので、呑み友だちになってご意見を聞きます。

国谷　今の話で思い出したんですが、元国連特使のラクダール・ブラヒミ氏という紛争地域で反目《はんもく》をする両者の間で調停を行う方がいらっしゃいました。そのブラヒミさんに、どうやったら調停ができるんですかって尋ねたら、僕はただ聞いているだけですって。自分で解決策を思いついたと当事者が思わないと、実行してもらえないから、僕はただ聞いているだけだと。熊倉先生と同じですね。

熊倉　芸術論を押しつけるのでは駄目なので、ひたすら聞いて聞いて、ですね。そうすると次第に地元の方が「大巻先生はアートを作るのかもしれないけれども、俺たちは人の輪を作る」と言い始める。以前、私が話したことだったような気もするけど、それを自ら体験し納得して話し出す。それが嬉しい（笑）。アーティストも同じかもしれません。だから学生にも言っているんです。あなたと相談したことを、アーティストが自分の言葉で話し出したら、それが最高の成功。そこで、「それは私が言ったことです」って出しゃばっては駄目ですって。この仕事は、裏方に徹することも必要だと。

国谷　どんな授業をなさっているのですか？

熊倉　私が関わっている街の中でのアートプロジェクトの現場で、まず体験をしてもらいます。そういうのが授業。水泳は教室の黒板じゃ教えられないですよね。アートマネジメントも実践を伴ってこそなので、まず一緒に海に入って、泳ぎ方を覚えて、現場の人の迷惑にならないように。溺《おぼ》れそうになったら引き上げますけどね。

国谷　やっぱり、成功体験を積まないと。

熊倉　卒業生も授業に参加していて、先輩たちは若手のスタッフとして、在学生たちの文句を汲《く》みつつ一緒に体験して受け止める。私はこう思っていたのに実際は違うとか、そういうモヤモヤを言語化して、それはこういうことが下敷きにあるんじゃないかな、という話をちょっとずつしていきます。そしてその体験と言語化を繰り返していく中で、自分なりに見つけた問題意識を最終的に論文などの形にしていく。あるいは、もうちょっと難しい本を引きながら自分なりの芸術と社会の関係のありようを理論化し、分析して論文でまとめるということもあります。

フランスで現代美術の魅力にはまる

国谷　熊倉先生は慶應義塾大学で仏文学と美術史を学んでその後パリに行かれましたが、こういう仕事に就くと思っていましたか？

熊倉　全く思ってませんね。その当時はこの職業すらなかったと思いますし。たまたまいろいろな出会いがあって、気付いたらこういうふうになっていたんです。大学では最初は仏文学を専攻して、辞書を引きながら割と新しい小説なんかを読んでいました。辞書ばっかり引いてると寂しくなるじゃないですか。それで、「外に出たい！」って、卒業後に学士入学で入り直して美術史を勉強しました。文学もそうですし、美術を見たり音楽を聴いたりするのも子どもの頃からすごく好きだったので、「そういうことに携わりたいな」と思っていました。批評家になるとか展覧会を作るとか。キュレーターという仕事もありましたから、漠然とオークションハウスとかで働くのかなってイメージはありました。

日本の大学では現代美術の研究はあまり盛んではなかったのですが、フランスに行ったらちゃんと現代美術を大学でも教えている。どんどん専門的に学べる。そこで現代美術に興味が湧くようになっていきました。

国谷　その頃は、日本ではバブルの時代ですよね？　ルノワールやゴッホを買い漁《あさ》った時代です。あちらではどうでしたか？

熊倉　もう、何回ルイ・ヴィトンの本店に行ったか。知り合いの知り合いみたいな日本人観光客を案内するんです。そういうブランド品を買い漁ることは、フランス人から冷《ひ》ややかな目で見られていましたね。「母国は大丈夫だろうか」という不安はありました。

一九八四年から九〇年までフランスに六年いました。朝日新聞のパリ支局で週末にアルバイトをしていたこともあります。テレックスから四六時中打ち出されてくる原稿をチェックして、何か重大ニュースがあったら支局員に報告して。新聞、週刊誌は読み放題でしたね。そうしている間に、後に自分が関わることになる公益社団法人企業メセナ協議会が日本に設立されました。

国谷　企業メセナは大ブームでした。

熊倉　パリ時代におぼろげながら知りました。帰国した翌年、一九九一年四月に母校の慶應義塾大学文学部に「アートマネジメント講座（科目）」というのが、日本で初めて正式な科目として開設されました。何百人もの社会人が殺到してきて大変だったそうです。その第一回の授業でお話しされたのが企業メセナ協議会の方で、芸術を知っていて、かつ語学ができる人材を探していたので、私は右も左もわからない中でアルバイトを始めました。

国谷　では、留学から帰国する時は何かポジションがあって帰ったわけではなかったんですね。

熊倉　はい。指導教員がもうすぐ定年だから、やり残していた修士論文を出そうと思って帰ってきました。三十歳ぐらいの時ですね。

国谷　そもそも「メセナ」って、本来はどういう意味を持つ言葉なのですか？

熊倉　メセナは、フランス語で「芸術支援」を指す言葉で、元々はローマ時代に起源がある言葉です。メディチ家が芸術家を擁護《ようご》したというような。フランスでは、政府が行うことはメセナと言わず、民間が行う芸術支援をメセナと呼んでいます。

メセナの仕事に携わるようになった頃にバブルがはじけて、なんで企業が芸術支援なんてしなければいけないのかって、企業内部からも説明責任を求められるようになり、潮が引くようにお金がなくなっていきました。もともと長い伝統文化のある日本なのに、芸術っていうものが市民生活の中でアップデートされていないということを、その時痛感しましたね。日本は、社会が芸術を支援しなければいけないっていう論理がすっごく脆弱《ぜいじゃく》だと。日本の企業で文化支援をしているところはありますが、残念ながら「社長の道楽」と言われたり、「衣食住が満ち足りて行うもの」、あるいは「女、子どもがやるもの」というようなイメージがあって。

国谷　フランスと日本とでは、文化政策の位置付けが全く違っていた。

熊倉　当時はミッテラン政権だったので、国を挙げて文化を支援するということが当たり前だったんですね。そんなフランスから帰ってみると、日本は公的文化支援や社会が文化を守っていくという責任に関して認識がとても弱い、そう感じました。

芸術と社会をつなぐ活動＝アートマネジメント

熊倉　帰国してしばらくすると、多くの一流企業に文化の担当というのができてきたけれど、企業の人はやり方もわからないし、どうやって説得してお金を使えばいいのかもわからない。それは社会の縮図であるとも思いました。

トヨタ自動車さんは企業メセナ協議会で重要な役割を果たす企業の一つだったんですが、ある時、トヨタの担当者から、「芸術家の支援も大事だけれども、一般市民は芸術家のことがわからないし芸術家は一般市民がわからないから、その間をつなぐようなアートマネジメント講座をやらないか」と言われたんです。それで週に一回、音楽と美術と演劇（舞台芸術）分野の名だたる講師を呼んで講座を開くようになりました。これから社会に支援を要請するにあたって、自分の作品がどういう歴史的な位置付けにあるか知らなかったら、要請できないじゃないですか。それが「トヨタ・アートマネジメント講座」です。九六年から二〇〇四年にかけて、全国三十二地域にて五十三回開催しました。

国谷　全国で五十三回も！　企画運営をしていたのですか？

熊倉　トヨタさんはパッケージにすればいいと言ったけど。

国谷　それは無理ですよね。

熊倉　そう。それでは動かない。キーパーソンとなる人を東京から二人ぐらい行かせて、受け皿になる人をマッチさせて、地域の問題点を見つけてコーディネートしていく。お客さんもそこそこ集めないといけないし。

国谷　それに「アートマネジメント」って言っても理解されなかったのでは？

熊倉　その通りですね。「この街には文化はありません」、「アートマネジメントなんて誰も聞いたことないですよ」って何十回も言われました。比較的大きな街でもです。

国谷　苦労しましたね。外から来た人にはなかなか心を開いてくれませんよね。

熊倉　東京から来たフランス帰りの姉ちゃんが何言ってんのか、と。

国谷　その地域の、「この人の話ならみんな納得して聞く」という人を見つけるのだって大変だし、公共性も考えなくてはいけないし、スタッフだってそんなにいないでしょうし。

熊倉　はい。最初は、「全国回って、美味《おい》しいもの食べて、温泉に入ろう！」と言っていたけど、温泉に行けたのは一回だけ（笑）。

国谷　この経験が、今の熊倉純子の血となり肉となったわけですね。

熊倉　地域の人が「ここには文化なんてない」と言い、企業やその地域で頑張っているアーティストも含めて芸術に関わる人全員がすごく疎外されている感じで、これはまずいと危機感を持ちました。

それともう一つ。それは、フランスでも感じたもので、「現代美術はお金持ちのもの」という考え方。現代美術のギャラリーとコレクターと美術館がある意味結託しているので、現代美術はお金持ちのコレクターのものと考えられていました。尊敬する先輩キュレーターたちも、そう言っていました。そこで自分の中に、「お金持ちじゃない人と芸術は出会えないのか。どうやったら誰でも出会えるのか」っていう命題が出てきたんです。この二つは、アートマネジメントをする上で、常に根底にあります。

国谷　日本でアートマネジメントがここまで注目された理由というのは、他にもあったのでしょうか？

熊倉　二〇〇一年に文化芸術振興基本法（現・文化芸術基本法）という、国が芸術を支援しなければならないという法律ができました。地方自治体はバブルの頃、公民館の建て替えで素晴らしいホールを建てたんです。いわゆる箱物行政ですね。二〇〇〇人の収容人数、例えば、チェロの独演だと最後列まで音が届かないような、使用目的が限られたホールです。建てた時は土木・建築業が儲かったけど、後でメンテナンスにお金がかかる。そうなると建てたきりで何にも使わない。法律は、そういう自治体や民間の文化支援に後押しされるような形で、二十一世紀になって半世紀ぶりに文化政策という形で新しく出てきて、アートマネジメントの必要性が意識されるようになってきました。

文化が根付いた、と感じた瞬間

国谷　その後、二〇〇二年に藝大音楽学部助教授になりますが、アカデミックな場所で働くとは考えていました？

熊倉　いや、全く。自分には合わないと思っていましたね。あまり表には出ていませんでしたが、おそらく私の活動がどなたかの目に留まったんでしょう。明治生まれだった祖母はとても喜んでくれました。最初に赴任した音楽環境創造科は、まず取手に設置されました。取手では一九九九年からアートプロジェクトをやっていて、紆余曲折《うよきょくせつ》を経て二十年続いています。

国谷　取手アートプロジェクトとはどういうものですか？

熊倉　市民と取手市、東京藝術大学の三者が共同で行っているアートプロジェクトです。若い芸術家たちの登竜門《とうりゅうもん》になりたいと市民の方が提案してくださって。

国谷　え？　市民の方たちが提案してくださったの？

熊倉　そうなんです。取手の街をフィールドとして、若手アーティストの作品を置いていくということをしたり。不動産屋さんが貧乏なアーティストにも親切なので、アトリエが多いんです。農地がたくさんあるので「食」と「農」の問題に取り組んだり、高度成長期に建てられた大きな団地では、空き室があって困っているという住民の暮らしに寄り添って、そこでプロジェクトをやったり。

国谷　地域と大学との素晴らしい関係が生まれているっていう感じがします。

熊倉　取手市役所の人たちもコロコロ変わるじゃないですか。着任当初は不要論を言うんですけれども、市民の方たちが「何を言うのか」って反論してくれて。だんだん市役所の人も軟化《なんか》していきます。

国谷　一泊するプロジェクトってありましたよね。一家族が一晩お泊りするっていう（図2）。

熊倉　はい。アーティストと住民たちが宿泊者に過剰なおもてなしをする、というものですね（笑）。

　地元の方は、自分が関わったアーティストたちが成長してくれたらいいなぁなんて思うわけですね。それはアートプロジェクトに限らない。ある漬物屋さんは、お店の建て替えをする時に二階をギャラリーにしてくださった。日本画の学生が、そこで仲間たちの作品を一律二万円で販売したんですが、なんと完売したんです。普通そんなに売れないですよ。おじいさんが「孫の誕生日祝いに作品を買ってあげよう」と、お孫さんを連れてきてくださったこともあった。「なんて豊かな国なのだろう」と感動しました。

　お店を改装するならギャラリーを作ろうと思ってくれたこと。無名の学生たちの展示即売会を開いてくれたこと。それが子どもの将来の財産になると思ってくれていること。孫に伝えたいと思ってくれていること。「あーバブルがはじけて良かったな」と思いましたね。あんまり美談ばっかりではいけないと思うけれども、そういう文化が根付いたっていうことが感じられて嬉しかったですね。

図2　老若男女ホテルマンたちがゲストを迎える「サンセルフホテル井野団地」。ゲストが自ら太陽光エネルギーを蓄電し、そのエネルギーで一晩を過ごす

国谷　私はＳＤＧｓ（持続可能な開発目標）の取材や発信といった活動をしているんですが、例えば地球温暖化にしてもプラスチックの問題にしても、もっと社会課題として、人々に「あ、そうだね」って気付きを与えるような何かが、芸術によってできないかなといつも思っています。

熊倉　実は以前から、国谷さんと一緒に取手校地で合宿をしよう、みたいなことは考えていたんです。

国谷　合宿⁉　ディープですね。

熊倉　藝大のいろんな学科の学生が一緒に参加できたらいいなって。芸術と社会との関係を考えるとか、作品ではなくて〝場〟を作るにはどうしたらいいのかとか、そういう課題について一般企業の方も交えてグループディスカッションしたりとか。そんな短い期間で実りある提案は滅多に出てこないんだけど、発想の転換にはなりますよね。そういう社会課題があるんだということを、デザイン科の学生はそのうち知らなきゃいけなくなると思うけど、他の学生も知っておいたほうがいい。そういう全学共通の社会課題講座をやりたいなあって前から思っていたんです。

国谷　ぜひ一緒に考えましょう。よろしくお願いします！

六年に及んだフランスでの滞在から帰国した熊倉先生が出会ったのがアートマネジメント講座でのアルバイトの仕事。アートマネジメントをキャリアとして目指したわけでもなく、芸術と語学がわかるからと誘われるまま足を踏み入れ、その頃まだ新しかった世界でいつしか第一人者となっていた。キャリアを形成していく話がいろんな寄り道話に彩《いろど》られていて時間があっという間に過ぎました。

「長い伝統文化がある日本なのに芸術が市民社会の中でアップデートされていない」「疎外感を持っている人たちがいる」「アートマネジメントとはアーティストと社会をつなぐもの。つなげる人がいないと案外出会えない人たちがいる」。藝大のキャンパスがある千住や取手を中心に熊倉先生は学生たちと共にアーティストと市民とが出会える場を作る実践を続けています。

マネジメント能力の高い卒業生たちの就職先はゲーム会社、デジタルアートの制作スタッフからプロジェクトマネージャー、自治体、人材派遣会社に不動産関連と実に多彩です。幅広い世界で芸術と社会との距離が近づくきっかけが次々と生まれていってほしいと思います。（**国谷**）

08

「『芸術』の伝え手」

黒川廣子

大学美術館教授

黒川廣子
（くろかわ・ひろこ）

1985年東京藝術大学美術学部芸術学科卒業。1987年同大学院美術研究科修士課程芸術学美術教育専攻修了。東京国立博物館資料部主任研究員を経て1999年より東京藝術大学大学美術館に勤務、2016年より現職。主な論文・著書に『海野勝珉下絵・資料集　東京芸術大学大学美術館所蔵』（東方出版／横溝廣子・名義）、『柴田是真の植物図』（光村推古書院）、「激動期における「名工」の位置」『日本美術全集』第16巻（小学館）、「帝室技芸員関係書類（東京国立博物館保管）概要」（『三の丸尚蔵館年報・紀要』第17号／横溝廣子・名義）、「百年前の東京美術学校による皇室の美術品―正木直彦の指南のもと」（東京藝術大学創立130周年記念特別展『皇室の彩　百年前の文化プロジェクト』展図録）、『起立工商会社の花鳥図案』（光村推古書院）などがある。

藝大の美術館の地下は思いのほか深い。膨大なコレクションを収蔵する場所でもあるのだから当然ともいえますが。大学美術館教授の黒川先生はここで学芸員を目指す学生などを教え、自らも学芸員を務めています。ご専門は近代工芸史。美術館の地下三階の対談の場所には大きなテーブルが置かれ、授業で使うさまざまな工芸品や作品の製作過程がわかる途中段階のオブジェがきれいに並べられていました。その中には藝大が誕生した頃に大学で教えていた金工《きんこう》作家の作品も含まれていました。

細密な模様が施《ほどこ》されていたり、色の違う金属が組み合わされて微妙な色彩を出している工芸品の数々。磨《みが》き抜かれた技で描かれた文様《もんよう》や自然の風物がどのように生み出されてきたのか、黒川先生の話は藝大誕生の歴史や日本において美術という言葉が生まれていった歴史へと広がりました。**（国谷）**

黒川　（こういう感じで）実際の作品を使って日本金工史の授業や博物館学などを行っています。

国谷　私を学生だと思ってちょっとご説明いただけますか？

黒川　まずこちらの手板《ていた》は金工の中でも彫金ですね。江戸時代に刀の飾りものを作る技術を学んだ職人たちが明治時代になって刀を作れなくなって、その技術を使って何か他の制作物に転換しようとしている時に、こういった絵画的なものとか器《うつわ》などを作るようになったんです。

国谷　刀の柄の部分とか、装飾が施されていますね。

黒川　刀の鐔《つば》の部分とか先端とか、もっと小さいものもあって。この技術を使ってより大きなものへと進化していったことがわかります。よく見ると違う色が使われていると思うんですが、これは伝統的な金属の金・銀・銅を合金にして表現しています。こういったものにものすごく高い技術を使って美しいものを作ってきた歴史があって、それが明治になって、これは外国にはない技術だとわかった。

国谷　外国にはなかったんですか？

図1　海野勝珉《雀手板》
（東京藝術大学蔵）

黒川　外国にも金工とか彫金はあったんですが、宝石とかエナメルなどを使った宝飾品になるんですよね。日本にも七宝《しっぽう》はありましたが、金属を宝石と合わせて使うことはあまり多くなくて、どちらかというと、金・銀・銅を合金にして四分一とかそういう技法を使って色を表現していました。

国谷　合金にして叩くんですよね。以前対談させていただいた彫金の前田《まえだ》宏智《ひろとみ》先生みたいに。

黒川　そうです。こちらの手板は明治時代を代表する彫金家の海野《うんの》勝珉《しょうみん》の作品です（**図1**）。海野勝珉は、藝大美術学部の前身である東京美術学校の草創期から、金工を教えてました。

国谷　かわいい。ブローチにしたい（笑）。

黒川　職人の中には帯留めだとか、そういうジュエリー系のほうへ発展していく人たちもいますよね。

国谷　どうしてこういうやさしいモチーフなんでしょうか。

黒川　円山応挙《まるやまおうきょ》とか絵師の仕事も勉強して、それを図案に生かして彫金をしていたと言われています。絵師の勉強も彫金の勉強もして、それを合わせて一つの作品にすることを彼らは盛んにやっていますね。

国谷　小さい頃から勉強や訓練をしていたのでしょうか？

黒川　名人の域に行きつくためには、小さい頃から訓練をして、体が覚えるくらいやっています。学校にも行かないで、六、七歳ぐらいから職人として弟子入りをしてやるんです。

国谷　うわー！　そうなんですか。

黒川　そうやって技を身に付けてきた人たちが明治時代になって、いきなり学校で教えなきゃいけなくなった。どうやったらいいのか、相当いろいろ考えて、悩んで、検討して作り上げてきたのが東京美術学校の教育課程ですね。

国谷　東京美術学校ができるということで、こういう技術を持った人たちに「教えてください」とリクルートしたわけですね。

黒川　そうです。それまで金工なんてやったこともない若い学生に、どうやって教えるのかってことですよね。大学美術館には、装飾をされる前の段階の手板がたくさん残されています。例えば簡単な線を一本彫るとか、初歩から叩き込んでいって何年かするとこういう作品を制作するようになります。いろんな創意工夫をして学生を育ててきたことが高く評価されて、現在につながっているんですね。

この茄子《なす》の実の部分は一枚の板から打ち出しています（**図2**）。鍛金《たんきん》の技です。金属は叩けば伸びていくことを理解させるためによく学生に見せます。鍛金の教授だった平田宗幸《ひらたむねゆき》の作品です。これは銅に金を混ぜた合金で茄子色を出しています。

国谷　え！　これ金属だけで色を塗っていないのですか。

黒川　塗ってないです。金属の変色液で煮るとこの色になる。

図2　平田宗幸《茄子水滴》
（東京藝術大学蔵）

国谷　美しい。

黒川　こちらが「木目《もくめ》金《がね》」といって、木の木目を金属だけで再現しているものです。

国谷　木だと思いました。

黒川　木目を再現するために違う種類の金属を数枚重ねて叩いて、鏨《たがね》で木目を表すための穴を作って、また叩いて、何回も叩いて薄くしていきます。で、どんどん伸ばして下の色を出していきます。非常に手間がかかっています。

国谷　これは何に使われるのですか。

黒川　板状のものを器にしたりとか。今でも伝統工芸展などを見れば、この技術を使った花瓶だとか鉢《はち》ものなどもあります。

国谷　漆《うるし》のようにも見えますね。

黒川　はい。他の材料で作ったほうがはるかに楽なのに。

国谷　そう、どうしてこんな楽じゃないことを？

黒川　そこが彼らのこだわりというか、技の見せどころというか。そんなことを学生に語っています。

人間に〝クローズアップ〟

国谷　黒川先生は日本近代工芸史がご専門です。先生の研究について伺っていると、本当に大変だなあって。当時の文献や新聞などから、どれだけ発掘していく作業なのかと。

黒川　まあ作品だけでは語れないじゃないですか。やっぱり作品があって、その背景には作品を作った人がどう生きてきたかがある。そのヒントを文献から探し出して全部つなぎ合わせるんです、パズルのように。

国谷　だから人間を見ているわけですよね。

黒川　はい。やっぱり人間が作ったものなので、その人間がどういう人だったのか、知ることでものすごく作品の面白さがわかる。興味も沸きますし、それによって作品の持つ意味を深く掘り下げることができますし。まさに〝クローズアップ〟です（笑）。

　幸い明治時代は資料がたくさんあって、まだまだ未発掘のものが個人のお宅から出てきたりします。わずか一五〇年ほど前のことなので曾《ひい》おじいさんぐらいの時代です。まだまだ「戦争をくぐり抜けた」ものがたくさんあるし、いわゆる公的な機関、公文書館とか国会図書館とかにも残っていますし、ここ数年でかなり調べやすくなりました。私が学生の頃は大変だったんですよ。今はデジタルで検索できるのでだいぶ違います。資料・文献等々を読んでいって、「ああ、これがあれだったのか！」とパズルが上手くはまった時はすごく嬉しいです。

国谷　芸術作品を鑑賞する楽しみ、自分はこれを美しいと思うとか、面白いと思うとか、そういう主観的な見方があります。でも純粋にその作品を観るだけじゃなくて、歴史の中に置くと別の評価が生まれてきます。

黒川　そういうことをやるのが我々のような歴史を勉強した人なんだと思います。どうしてそれがそういうものなのか。

国谷　相対化する？

黒川　はい。たくさんある作品の中でどうしてこれだけが残っているのかとか、その理由といいますか、なぜこの作品が重要なものとして位置付けられているのかを調べるのが私たちの仕事なのかなと思います。

国谷　先生から見える世界というのは、とても面白いのだろうなって思います。

黒川　それはもう……。まだまだ知らないことがいっぱいあって。だけど、どんどんいろんな資料や作品と出会って、その出会いによってまた違う物語のようなものが浮かび上がってくる時って、すごく楽しいですよ。

国谷　それは例えばどんな時ですか？

黒川　例えば……あの銀の置物はどうですか？　ただ見ただけでは何だかわからないですよね（**図3**）。

国谷　いろいろなものがそこに……。なんでお花がここに大きく付いているのか。家もある。

黒川　いくつかの村の景色です。こういったものを何の知識もなく見たら、変なかたまりじゃないですか。まあ、ここは山だろうとか海だろうとか思いますけれど。

　これは《洲《す》浜置物《はまおきもの》》といって、天皇陛下の即位に伴う儀式である大嘗祭《だいじょうさい》の大饗《だいきょう》の儀の時に作って飾る置物です。平安時代から洲浜を象《かたど》った置物を飾る習わしがあるそうで、これは大正四年の即位の礼の時に先ほどの平田宗幸が作った試作品です。本物は皇室に納めていますので。大嘗祭の時に詠《よ》まれる和歌が前もって作られるんですが、その和歌の中の部分部分の情景や地方の風物がここにまとまっていて、現実世界ではありえない景色なんです。

国谷　面白い発想ですよね。どうしてこの置物を大嘗祭で？

黒川　洲浜は文献の中には出てくるんですが、古い時代のものがどういう造形だったのかはわからない。でもその伝統を継いで作られています。大正、昭和、平成と、本学の教員が依頼を受けました。こういったものを何の知識もなく見たら、面白さもその価値も全くわからない。和歌があってその和歌のこの部分をモチーフにしているとか、この作品が作られるまでの細かい経緯は、誰かが解読して作品と一緒に展示して初めてわかる。

図3　平田宗幸《洲浜置物》の試作品とその元になった和歌の資料

国谷　確かに。置いてあるだけじゃわからないです。

黒川　作品の意味を調べあげてわかりやすく伝える、それが私たちの役割だと思います。

調べても調べてもわからない作家

国谷　いろんな各地の資料館へ行かれたり、ハンティングな感じですね。

黒川　そうです、そうです。調べて調べて調べても、わからないものがたくさんあります。どうしても調べたくて、でもわからないものを今一つ抱えているんですけれど……。

国谷　何ですか、それは？

黒川　明治の鋳金家《ちゆうきんか》の鈴木《すずき》長吉《ちょうきち》という作家なんですが。彼についてはわからないことが多くて。作品はすごいものがあります。《十二の鷹》は今年（二〇一九年）、国の重要文化財に指定されました（図4）。東京国立近代美術館の収蔵品ですが、来年（二〇二〇年）は金沢に移っちゃう予定なんです。

　十二羽それぞれが別の金属の色で作られていて、一羽ずつ違う恰好をしているんですが、これも鷹匠《たかじょう》に訊いたらちゃんと物語があるんです。真ん中の一羽の鷹がしっぽの羽の枚数が一枚多いんですが、鷹匠にとっては憧れの存在で、その隣も白鷹《はくたか》で貴重なんだそうです。つまり真ん中の二羽が鷹の世界ではすごく偉い存在なんですって。すごいですよね。一羽ずつ性格を描き分けている。

国谷　へー！　やっぱり先生に解説していただくと面白い。

黒川　鷹を飾ることは江戸時代では普通に行われていて、偉い人が鷹に謁見《えっけん》する風習もあった。絵画的にはよく出てくるモチーフですが、それを立体的に、工芸の技術で、多種の金属を使って作ったことが世界で認められて、シカゴ万博で評価されたんです。シカゴ万博での展示の写真を見ると、飾り紐も全部形が違っていることがわかります。それも鷹匠に訊くと紐の形に意味があって、結び方の形で鷹の状態を示しているんですって。鷹ってすごく敏感じゃないですか。人間が近づこうとすると怖がったりするから、遠くから見てパッとその鷹がどういう状態なのかわかるようにと。

国谷　とても興味深い話です。シカゴ万博は何年でしたか。

黒川　明治二六年（一八九三年）です。当時の指導者たちの一大目標が、日本の工芸を美術館で展示することでした。つまり、日本の工芸は美術なんだと国際的に認められること。それまでずっと認めてもらえなくて、シカゴ万博でようやく認められたんですね。

国谷　シカゴ万博はそういう節目の万博だったんですか。日本は今、二〇二〇に向けて日本の芸術文化を発信しよう

図4　《十二の鷹》は2003年に大学美術館でも展示された

としています。やっぱり同じように国際的なイベントで日本の価値というかブランディングを上げようとしているのですね。

「美術」という言葉・概念の誕生

国谷 私は本当に、芸術について知らないことばかりで……。先生の文章の中に、「幕末にはなかった美術の概念が明治になって初めて西洋から日本に紹介された」と書かれていて、びっくりしたんです。

黒川 「美術」という言葉はウィーン万博（明治六年）の準備過程で、明治四年に翻訳されたものなんです。明治時代までは「美術」という言葉も概念もなかったんです。

国谷 それまでは、素晴らしい茶器とかお道具も美術ではなかった。お茶碗はお茶碗、お軸《じく》はお軸という感じで、アートという概念がなかったんですね。それでは日本における「美術史」のスタートは？

黒川 「美術史」っていうと東京美術学校でアーネスト・フェノロサや岡倉天心《おかくらてんしん》たちが教え始めてから、となりますが、その前から文献はあるんですよ。だけど美術史とは呼ばなかったんです。

国谷　日々の実用品から発展した工芸が、明治以降いつしか美術とか芸術と呼ばれるようになった。日本には民芸もありますが、先生の目から見て、工芸と美術の境目はどこなんでしょうか？

黒川　よく最近論じられるところなんです、美術と工芸って。境目を作るのかどうかも含めて。そんなにはっきり分けられないと私は思っています。当時は、それこそ東京美術学校の先生や指導者たちを先頭に、「日本の工芸は世界の工芸とは違う。美術工芸だ！」と声高《こわだか》に唱える人が多かった。彼らには自分たちの作品といわゆる工芸品は別物という意識があったとは思います。実際の技や素材とか、見かけは同じでも作り方が違うとか、あるいは造形そのものの美的センスとか、そういったところに自分たちは違いを見出していた。でもそれはわかる人にはわかるし、わからない人にはわからない（笑）。

　その一方で、造形的に難しいとか複雑なことをやっているわけではない簡素なものにも美を見出すことが、多分古くから日本人の美意識の中にある。簡単な器であってもそれが美しい、だから芸術なんだっていう。何の違和感もなくそう思っている人たちが多い。それで、自分たちの身のまわりで作られていたような器も芸術の域に達している、という思いもあったのではないでしょうか。その後の展開を現代の学者たちは、やっぱり今でも研究をしているんですよね。不思議な展開というか、わかりにくいということもあって。

国谷　そうなんですか。論じられているということも全然知らなくて……。明治になって海外のいろんな博覧会に日本が出品しだすと、人気が高まってどんどん輸出されるようになった。自分たちが作っているものの価値を海外から教えてもらったのでしょうか？

黒川　そういうことは往々《おうおう》にしてあると思いますよ。いわゆる「お雇い外国人」と呼ばれる明治初期に来日した外国人たち、フェノロサもそうですが、彼らが日本のすごさを日本人に教え、受け入れた人たちが海外の博覧会に出品したり輸出用に作るべきだと思いついた。そしたらまあ、けっこういい反響があった。それがジャポニズムにつながっていくと言われています。金工に限らず、自分たちが作るものはなかなか海外にはないと気付き、海外の人たちから評価されて、日本人も思い直したのではないでしょうか。

幅広く勉強するうちに、誰も研究していない分野へ

国谷　先生は藝大の美術学部芸術学科を卒業されていますが、どのような人材を育成する学科なんでしょうか？

黒川　芸術学科出身の人は学芸員だったり研究者だったり、美術館・博物館に勤めている人が多いですね。私は明治時代を中心とした日本近代工芸史が専門ですが、現代とかいろ

いろな作品に広げて研究をしています。

国谷　藝大を目指していたんですか？

黒川　目指したわけではなくて、そこまで学芸員になりたいとも思ってなかったんです。工芸を勉強したいというのはありました。私の祖母が佐賀錦《さがにしき》を織っていたものですから、母もそれを継いで教室を開いたりしていました。そういう関係で家には工芸の本などもありましたので。

国谷　佐賀錦を研究したくて藝大に入った。でもそこから広がっていく。

黒川　面接試験でも佐賀錦をやると言って入学したんですが、入学後に指導教官に、「そんなに狭く見ないで、世界はすごく広いんだからいろんな分野も勉強しなさい」って言われて、いろいろなところに首を突っ込むようになりました。せっかく藝大にいるのでもっと他の分野のことも知りたい。工芸の中にも漆とかやきものとか金工とかいろいろありますし。それで、当時の指導教官に相談して、大学院は実際に作ることも課程の中に入っている美術教育に進みました。そうしたら美術教育の指導教官が鍛金の先生だったので、なんか金工のほうに道が逸《そ》れたというか。

国谷　工芸の中でも特に金工なんですね。

黒川　あと東京美術学校のことも調べていました。東京美術学校設立時の工芸科は金工と漆しかなかったので、その二つは歴史と基本的な技術を一生懸命調べました。それが私のバックグラウンドの一番ベースにあります。大学院を修了したあとは縁があってお隣の東京国立博物館に勤めました。そこにはまさに明治の工芸界を振興するための、海外の博覧会だとか輸出に関する資料がたくさんあって、それまでほとんど誰も研究していませんでした。日本の政府側からの資料とか、かなり広くいろんな分野にわたる作品に関する資料があったので、それを一生懸命研究していました。

展覧会企画の醍醐味

国谷　先生は美術館の教員であり、そして学芸員でもあります。

黒川　はい。ですから、教えることの他に作品を管理・研究したりしています。で、その研究に基づいて展覧会で見せることが一番の本業でしょうね。

国谷　いろいろ調べて作品を理解した上で、学芸員なら展示を企画する。同じ作家でも何をテーマに企画をするかで全くその展示が変わってきますものね。どういうプレゼンテーションをして何を集めてどう並べるかというのは、学芸員の腕の見せどころですよね。

黒川　そうですね。展覧会企画の醍醐《だいご》味《み》です。すごく大変ですけれどね。相当なネタを集めて、それを示すための根拠や裏付けを調べたりとか、時間はいくらあっても足りない。展覧会の場合は期日があるのでどう頑張ってもそこまでなんですが、そのあとにわかることもたくさんあるんですよ。展覧会をやったことによって観に来た人から情報をいただいたりして、私たちではわからなかったことがわかるようになる。これが素晴らしい。そういった情報が蓄積されて次の企画に結びつくこともあるし、アーカイブしていけば私が在籍しなくなったあとも後輩が有効活用できるかもしれない。

国谷　学芸員の方々はちゃんと他の機関と関係性を作って、自分のところにない作品を貸していただかなければならない。もちろんこちらから貸し出すこともあるでしょうし、そういう連携能力みたいなものが必要ですよね。

黒川　はい。例えば海野勝珉の作品で、ここにはない素晴らしいものをよそから借りてくると、うちのコレクションと一緒に展示して、これらの作品は同じ作家だと観てもらえる。そうやっていかにすごいかを示せるという意味では、よそから作品を借りてきて展覧会を組み立てられるのは一番の理想的な関係です。お互いに協力し合って、必ずしも展覧会という形でなくても、調査研究の場合でも他の美術館・博物館の研究者・学芸員の方たちと研究を持ち寄る研究会みたいなものもけっこうありますし。そういったことから得られる視点も大きいですね。

伝え手の役割

国谷　美術史を学んでいる学生たちに、美術史をしっかりと自分のものにしていく上で一番大事なことは何だと思って教えていらっしゃるんでしょうか。

黒川　時代によって違うんですけれど、近代以降はかなり作家がはっきりしています。明治とか江戸以前は作家がわからない作品が多いんです。

国谷　みなさん分業で作っていらした、江戸時代は。

黒川　明治もその流れが残っていました。名前が出てくるのは親方だけだったり。それは仕方がないことですけど、結局ものができあがっていく背景がものすごく大事ですよね。作る目的も当然ありますし、どうしてこういう造形ができたかや作品のテーマなどに対する理解ですね。そこを含めて全部勉強しないと作品の本当の理解はできないと思います。ただ見て好き嫌いではなくて、その背景と作家の置かれた状況につながる周辺の情報を調べ上げていくと、その作品がすごいものに見えてくる。そういうことを大事にしています。

国谷　日本の現代の工芸をどう見ていらっしゃいますか？

黒川　いろんな分野の人たちが切磋《せっさ》琢磨《たくま》して頑張って作っていらっしゃる。その中から抜きん出ることは大変だと思うけれど、国内外から高く評価されている人が何人もいる。まだまだ日本の工芸は世界に誇って見せられる技・造形を持っていると感じます。

国谷　工芸は実用品とか日用のもので磨き抜かれてきたものですけれど、今は〝シンプルライフ〟とかが主流になってきていて、そういう技を残すことが難しくなっているんじゃないかと思うのですが。

黒川　はい。残念ながら作品だけを作って生活していける人はわずかだと思います。

国谷　複雑な技法で作られていることを、今の人はなかなか気付かない。だから伝え手の役割はすごく大きいと思います。

　私は京都に実家がありますが、蔵《くら》のあるような町家がどんどん維持できなくなっています。みんなマンションになったりホテルになったりしています。そこに住んでいらっしゃった人の話を聞くと、自分たちでは整理しきれなくてトラックで粗大ごみみたいにして出さざるを得ないと。でもその中には美術・工芸品がたくさんあるわけです。悲しい……。硯箱《すずりばこ》とか、箸置きだったり、お椀だったり、お膳だったり……。おそらく明治時代のものが多いと思いますが、その頃のものには、日本人の尊厳を感じます。日常のものにこれだけこだわって、細部も。

黒川　そうなんですよね。ちょっとした飾りとか。

国谷　おろそかにしない。

黒川　そういうところも楽しむ。根付《ねつけ》とか身のまわりの小さいものなど、日本人のDNAにあるのではないかと思うくらい、ちょっとした飾りに拘《こだわ》りを持っている。現代のライフスタイルの中で生活の道具として使い続けることは難しいかもしれないけれど、そのものの価値を知ればもっと大事にするし、大事にされるもののもっと多くなると思います。

この日、私は日本の工芸に敬意をこめて、京都で暮らす母から受け継いだ、印籠《いんろう》に小さな穴をあけチェーンを通したネックレスをつけていました。対談の終盤、黒川先生に「そのネックレスは蒔絵《まきえ》の印籠ですよね」と聞かれました。「開きますか？」「銘《めい》はありますか？」。ネックレスを先生にお渡しすると専門家らしくすぐにルーペのようなものを取り出して「あ、書いてある。信定？　下の字が見えにくいですが、調べればわかるかもしれない」とニコニコしながらおっしゃいました。そして「工芸品をそうやって愛用し続けることが大事なのですよ」と言われました。（**国谷**）

09

「時代の中で生きる、消費されるだけでなく」

小沢剛
美術学部先端芸術表現科教授

小沢剛
（おざわ・つよし）

1965年東京生まれ。1989年東京藝術大学美術学部絵画科油画専攻卒業。1991年同大学院美術研究科絵画専攻（壁画）修了。在学中より、風景の中に自作の地蔵を建立し、写真に収める《地蔵建立》の制作を開始。以降、《なすび画廊》、《醬油画資料館》、《ベジタブル・ウェポン》などを制作。主な個展に『透明ランナーは走りつづける』（広島市現代美術館）、『不完全―パラレルな美術史』（千葉市美術館）、『オールリターン―百年たったら帰っておいで　百年たてばその意味わかる』（弘前れんが倉庫美術館）がある。平成30年度芸術選奨文部科学大臣賞受賞。2012年より東京藝術大学美術学部准教授、同大学院美術研究科グローバルアートプラクティス専攻教授を経て現職。
公式HP　https://www.ozawatsuyoshi.net/

藝大の取手キャンパスはＪＲ常磐線の取手駅から車で十五分。キャンパスの入り口に美術館、その先には野外運動場に地元のＮＰＯが運営する解放感のある食堂がありました。キャンパス周辺には食べるところはなく一番近いコンビニも歩くには遠いと感じる距離にあります。食堂はオアシスのような極めて大事な存在なのだろうと思いながら車で進んでいくと、金工、木工、石材などの工房や機械室が入った工房棟につきあたり、そのすぐ先の建物の中に小沢先生の部屋がありました。みんな創作に集中しているのか、そもそも広いキャンパスに学生が少ないのか、とても静かです。

先生の部屋の窓からはゆっくりと流れる利根川《とねがわ》が見えました。岸辺には樹木がうっそうと茂り、先生は「木が多いので川までたどり着けないです。もったいないです」と窓の外を眺めながらおっしゃいました。窓のすぐ下には「3月11日　涙の日」と書かれた古い革のソファ。大きな机を挟んで座ると目に飛び込んできたのが、先生の背後の壁に貼られたおそらく構想途中のドローイングに書かれた「呪」という字でした。

（国谷）

先端芸術表現とは

国谷　先端芸術表現というおそらく一般の人は聞いたこともない、藝大の美術学部の中でも一九九九年にできた新しい学科です。ここに来ると他と違って何が学べるのでしょうか。

小沢　油画とか日本画とか彫刻とか工芸とかって、材料がはっきりしているじゃないですか。先端の場合はまず自分のアイデア、作りたいものがあって、それから材料を探す。

国谷　アイデア先行でそれに合うベストの材料は自分で。

小沢　そうです。だからみんな表現方法が違うし、作品ごとにも違う。まあ僕もそういう感じでやってたから、教えやすいかもしれないですね。

国谷　面白い。でもアイデアがないと苦しいですね（笑）。

小沢　そうですね。

国谷　材料がはっきりしていても苦しいかもしれないけれど、根本的な発想の種がないと、とても大変だと思う。

小沢　だからリサーチが大事だし、リサーチするうちに次のアイデアが生まれてくる時もあるし。

リサーチは面白いですよ。まず文献を読んだり、旅をしたり、インタビューしたりします。

国谷　先端芸術表現ですが、私は芸術はそもそもみな先端をいくものと思っていたのですが、違いますか？

小沢　そうでもないですね。全然先端じゃなくてオッケーと考えている作家もいます。

国谷　素人からすると何が先端なのか、その先端がわからない。

小沢　先端芸術表現科の先生の中でも、その解釈は多面的だと思いますけれど、変化していく社会や時代を敏感に感じ取り、ジャンルに囚《とら》われることなく誰も作ったことのないものを作る、そういうことじゃないかなと。きっと美術史に名を残している巨匠《きょしょう》たちは、みんな先端だったんじゃないですかね。

国谷　そうですよね。芸術家の方々は自分は先端をやっていると思っているから、あえて先端芸術表現と言わなくてもいいのではと思っていたのですが。

小沢　そうですか。僕は、常に誰かが切り開いたものをちょっと深めて、無理に新しさにこだわらないという態度の作家のほうがむしろ多いんじゃないかなと思いますね。ある程度、価値が定まったものを人は安心して購入するからね。先端すぎると売れない。だから辛いですね（笑）。

国谷　さまざまなところで作品の発表が続いています。今年（二〇一九年）は何回くらいですか？

小沢　今年は十回くらい、海外は二、三回かな。でも最近は減らしています。多い時は二十回近くあると思います。作品を送るだけという場合もあります。展覧会は数が多くても、金銭的に潤《うるお》うということはないですよ。

国谷　でも商業的な作品は作ってないっておっしゃっている（笑）。

小沢　もう開き直るしかないですよね（笑）。まあ売れたら嬉しいけど、金銭に変わりやすい美術っていうのは一部でしかなく、アートマーケットと相性が合わない作品というのも世の中にたくさんあって、僕はいつのまにかそのようになっちゃってる感じです。

国谷　先生も藝大のご出身で、（美術学部絵画科の）油画を卒業されて大学院は壁画に行かれました。〝藝大の油画〟のイメージと先生の作品とのギャップが大きすぎて……。藝大の勉強って役に立ちましたか？

小沢　当時はめちゃめちゃアカデミックでしたからね。社会との関わり方とか何も教えてくれなかった。ただ、表現力っていうか観察する力、見たもの、思ったものを描く力とか、それは後々役に立っていると思います。こんなの作りたいって思ったイメージを、紙の上にでもちょろちょろっと描くのはできるようになったんで。

国谷　二十六歳で卒業されて仕送りが終わってしまい、アルバイトで職業訓練校とか予備校で教えていらした。この頃、「アーティストとして自分はこれからどうなっちゃうんだろうって思っていた」と書かれています。アーティストとして先の見えない時期があったのですね。

小沢　そうですね。真っ暗は大げさですけれど、見えない怖さと見えない楽しさが同居してました。振り返るとその頃は楽しかったと思いますけどね。貧しかったけど、自分と同じように売れないけど野心のある仲間とか、周りにうじゃうじゃいたから。

旅をしながら作品を残すなんて、ロマンチックでいいなと

国谷　バックパッカーで旅をしていたのが学部三、四年生の頃です。《地蔵建立《こんりゅう》》という作品を始められたのですが、油画とは全く違いますよね。

小沢　全然違いますね。それは、アトリエにこもってやるのがちょっと嫌になっちゃったっていうのと、どんどん外に出ようと。可能な限り遠くへ行けば何か見つかると、何の根

拠もなく信じてて。で、旅と制作が一致する方法で、絵でもよかったんですが、写真のほうがシャッターをパシッと押せばイメージが写っていますからね。旅にはぴったり合うかなと。実は写真の撮り方もろくに知らないところから始めた感じでした。

国谷　自分で作られた地蔵を持って。

小沢　手に乗るぐらいの大きさの自作の地蔵をリュックに十個ぐらい詰めたらものすごく重くて一日で嫌になっちゃって（笑）。ちょっとこれはいかんなと。で、いろいろ改造したんですよ。途中で土を掘って型に詰めて地蔵を作るとか。それが第二号。でも旅の途中で型をなくしちゃったので、しょうがないから手でこねたりして。「いや待てよ、これは描いたほうが早いな」となって途中から紙に描くとか壁に描くとか。

国谷　お地蔵さんは好きだったのですか？

小沢　そうですね。江戸時代に円空《えんくう》という、旅をしながら仏様を彫るお坊さんがいたんですよ。修行僧のように旅をしながら作品を残すなんて、すごいロマンチックでいいなと思って。それを僕はなぞったような感じなんですね。

国谷　三蔵法師《さんぞうほうし》が行ったシルクロードを旅したわけですね。

小沢　そうか。確かに。シルクロードにあこがれもあったんですよね。中国から最終的にはギリシャまで。本当はローマまで行きたかったんですが、お金が尽きちゃって。ヨーロッパは物価が高いからこれ以上は進むのは無理だなと。それで翌年リベンジしたんです。今度は北周りでロシア、当時はソビエトでしたけど。

国谷　ソ連崩壊前ですか？

小沢　はい。ベルリンの壁崩壊の一カ月くらい前で、もうちょっとで壁崩壊でしたけど、ベルリンは治安が悪くて一晩で出ちゃった。

国谷　すごいところにいらした。リベンジっておっしゃったけど、まだまだ探したいという渇望感というか、何かあると思っていらしたのですね。この旅は小沢先生の原点ではないですか。油画専攻の学生が進む道とは違う表現を見つけ出した。

小沢　そうですね。先生たちは誰も理解してくれなかったですけどね。よく卒業できたと思います。

国谷　《地蔵建立》を卒業制作として出されました。

小沢　はい。でも自分では間違いないと確信していたし。作品自体も十数年後に美術館に収蔵されることになって、今は東京都現代美術館にあります。リアルタイムでは評価できないものなのかなとその時は思いました。

国谷　旅から帰ってきてご自分の中で何か変わりました？

小沢　変わるつもりで旅をしたんですが、何も変わってないですね。何でだろう。自分も探せなかったし。

国谷　私も八十日間バックパックを背負ってひとり旅をしたんです。

小沢　ええ！　そうですか。

国谷　大学を卒業したあとで。まあ女子なのでそんなにワイルドなことはできないんですけど、同じように自分探しだったのですけど何にも見つからなくて、ひとり旅が嫌いになって帰ってきました（笑）。

感じたことをつかまえて糧《かて》にする

国谷　先生は、現代に対する問題意識といいますか、何かご自分が感じたざらつきとか、そういうものからの刺激で発想されることがありますか？

小沢　そうですね……別に啓発的とかそういうことでは全然ないと思いますけど……。つかまえる力は大事かなと思います。そういうのをいかにつかまえて、作品の糧とするか。でもいつも目を光らせているわけではなく、まあ九〇パーセントはぼんやりしていて、いやもっとかな。つかまえる時はパッとつかまえますね。

国谷　お地蔵さんのケースでも、東京の郊外がどんどん画一《かくいつ》的な街並みになっていく中、しかし一方でお地蔵さんはさりげなく残っている。その違和感……。

小沢　ええ。僕の育ったところは『平成狸合戦ぽんぽこ』（一九九四年／スタジオジブリ）の舞台となった辺りなんです。宅地造成が進んで、自分の家の窓から見える風景もどんどん変わっていくけれど、里山の端っこに地蔵が残ったり、わずかに農家が残ったり。視覚的にすごく風景が変わるということが時代の変化を表していて、そこにわずかに古いものが残されているのが面白いというか、何か印象的で。それが地蔵とつながっているのかもしれないですね。地蔵は一応祈る対象でもあるから簡単には破壊されない。都心でもけっこう残っていますから。そういうのがたまらなく面白いなって思っています。

国谷　身のまわりの事象に対して、ある意味ジャーナリスティックというかドキュメンタリスト的な眼差《まなざ》しを向けていらっしゃいます。《なすび画廊》も、どんどん牛乳配達がなくなっていく中で箱だけが残っているということに目を向けた（**図1**）。

小沢　そう、その機能が終わって残っている箱が気になってて。あの中の小さな空間を活用できたらなって。あとは個人的な問題で、ギャラリーで展示したいけれどできないという現実があった。無名の作家にはそんなチャンスはなかなかないわけですよ。で、だったら無理やりだけどその二つを一緒にしようと。

国谷　その空間をギャラリーにして、ご自身の作品を入れるのではなくて、キュレーターみたいになって先生が好きなアーティストを招聘《しょうへい》して。
小沢　そうですね、僕がディレクターになって。まあ、まともな神経してる人はやんないです（笑）。だってこんな小《ち》っちゃいんだもん。ふざけてるとしか思えない。
国谷　アイデアを募《つの》ったらいっぱい来ましたか？　難しかったのではないですか？
小沢　なかなか反応は良かったです。面白がって次々と。で、その時の無名の作家の仲間たちが、今の美術界で重要な作家になっていたりするんですよ。半分ぐらいそうかな。世の中が変わったかどうかはわからないけれど、自分自身の社会における環境、〝《なすび画廊》の小沢〟みたいな、美術界の一部ではそういう認知があったから、自分の居場所が作れたというのは確かですね。
国谷　先生だけの居場所じゃなくて、芸術家を受け入れる社会のプラットフォームですね。
小沢　そうですね。作品だけどプラットフォームたりえるものっていう。それまでの作品はあくまでも〝個〟のもの、個人的な感情とか考えとか美意識が吐き出されたものがどーんとあって、「見なさい」みたいな。そんな一方向性ではない可能性を示せたかなと思います。
国谷　インタラクティブということですか？
小沢　そうです。僕はあくまでも空っぽの箱を置くだけで、その中にいろんな人の作品を受け入れる余地のある作品なんです。

国谷　美術館に入っているものが芸術だとか、画廊が展覧会をやってくれるものが芸術だという、一般にはそんな思い込みがありますけれど……。

小沢　そうじゃない概念を提案できたことは確か。しかも屋外で。でもそれが芸術と認知された途端に矛盾《むじゅん》が生じるんですよ。《なすび画廊》を始めてから数年して、オーストリアの美術館で展示されるチャンスがあって、当然胸躍るけど、路上で展示することに意義を見出していたから、美術館という制度に回収されていくことに、自己矛盾を感じて悩みました。

国谷　一番やりたいのは、パブリックの中での表現？

小沢　いや、どうなんだろう。美術館の中でやるのも楽しいんですよね（笑）。安全だし。矛盾を受け入れてやっている感じです。

図1　《新なすび画廊―ピーター・ベラーズ「Game A［T.N.（43）男性、会社員］」》2000年

時間はかかるけれど、心に響くはず

国谷　先生の作品の中にペットボトルを集めてそのプラスチックを絨毯《じゅうたん》にした《天空からの絨毯》があります。私は今、サステイナビリティとか地球温暖化に関する取材や啓発活動をしていますが、先生はそれを二〇〇六年になさったって聞いて……。今でこそ使い捨てプラスチックが問題になっていますが、その頃は全く問題になっていなかったのでは。

小沢　全く話題にならなかったです。最初はチベットのカイラスという聖山でひたすら集めて、天津《てんしん》の工場で絨毯にしてもらいました。そのあとも、対馬《つしま》海峡沿いに漂流ゴミが海流にのって流れ着くのを知って、釜山《プサン》、青島《チンタオ》、対馬と、三カ国の海沿いで拾ったペットボトルでも一枚作りました。けっこう大変でした。

国谷　その着眼点が素晴らしい。非常に異質ですよね、あれだけ美しく雄大な自然の中にペットボトルが落ちている。それを見てアクションを起こそうと思い、さらにアートにつなげる。なかなかそういう発想はできないと思います。その絨毯はどういうふうにディスプレイなさったんですか、作品として？

小沢　最終的に一枚の大きな絨毯を壁に展示しようと思っていました。拾ったペットボトルはリサイクル繊維となり絨毯へと加工しました。依頼した中国・天津の工場で、その作業工程に立ち会っていたのですが、ちょっと目を離した隙に、完成した絨毯を工員さんが、勝手にジョキジョキ切ってしまって。なんじゃこりゃ⁉　みたいな、細長い小さなマットみたいなもの十枚ぐらいになっていて、けっこうショックでした。言葉が通じないって怖いですよね。展示はその細長いマットを天井から吊って、鑑賞するようにしたんですけど、まあちょっと無理がありましたね。

博多人形や牛乳箱などさまざまなものが並ぶ研究室の棚

国谷　でも、これだけのことをするにはお金集めも大変ですし、プロジェクト全体をマネージするには力業が要ります。理解は得られましたか？

小沢　そうですね。その時は財団がバックアップしてくれて、対馬に行った時はヨーロッパで展覧会があったから確かルクセンブルクの美術館が出してくれた。

国谷　ニュースで、大気中の二酸化炭素の濃度が過去最高になったと伝えていました。このままいくと今世紀末までに平均気温が三・五度上昇するそうです。今すでに平均気温が一・一度上昇していますが、一・一度上昇しただけであれほどの洪水が起きたり、夏の暑さも酷いのに……。

小沢　最悪ですね。

国谷　ですから何かハッとさせてくれるような、それこそ人間の意識改革につながるような何かを、芸術の力でできないかと、いつも私は思っているんです。

小沢　即効性はないけれど、心に響くはずなんで。誰か強く受け止めた人の行動を変えるはずだと。それを望みますけどね、僕は。

どうしたらいいのかわからない最悪な時代

国谷　先生は現代が抱える矛盾みたいなものに鋭い眼差しを向けられています。今の社会はどういうふうに見えていますか？

小沢　もう最悪な時代になってる。戦前みたい。だけど大昔からサイクルがあって、いい時もあれば悪い時もある。人間の生きてる世界ってそういうものだから。人間はどん底にいってまた這い上がる力を秘めてるはずだから。

国谷　今は〝底〟ですか？

小沢　そっちに向かっているんじゃないですか。世界の政治は何もよくないし、戦争はいつ起きてもおかしくないし、自由は失われ始めているし。ここ何カ月かでいろんな国の美術関係者とかと話していても、みんな「まともだった日本が今こんなにひどくなってるの？　大丈夫？」みたいな話をしますけどね。「あいちトリエンナーレ」の問題とか、そのあとの文化庁の予算がストップされた問題だとか。まあみんな冷静に見てると思いますけどね。今起きてることを。

国谷　「表現の自由」ということについても？

小沢　総合的にすごく関心があることだけれど、昔の六〇年代七〇年代みたいなデモをやってもしょうがないだろうし。何かいい突破口はないかと考えたり、動いたりしていますけど、なかなか駄目ですね。今より良くなる要素は全く見えない。どう解決したらいいのかとあがいています。

国谷　悪くなっている要因は何ですか？

小沢　要因ですか？　えっと、いや、誰かのせいにすれば楽ですよね。わかりやすい悪者がいればいいんですけど限定はしにくい。むしろ要因は拡散しているんじゃないですかね。まあ僕の中にもあるのかもしれないし。そういう止めようのない墜《お》ち方をしているんじゃないかなと感じます。

国谷　先生がバックパッカーで崩壊一カ月前までいらしたベルリンの壁が崩壊して、三十年が経ちました。協調的な世界とかユーフォリアみたいなものができるんじゃないかと一時は思いましたよね。国連の時代が来るとか。

小沢　思いましたよね。ＥＵが統合されて冷戦が終わり、良くなるしかないと。

国谷　ところが、アメリカが超大国になって他の国々に介入してぐちゃぐちゃにした。確かに発展途上国は経済成長はしたけれども、世の中は分断されてしまった。自分が良ければいいみたいな。今は環境問題もあって、なんでこんな不寛容な居心地の悪い社会になってしまったのだろうと、嫌になってしまいます。すみません、こんなこと言って。

小沢　そういう時はね、雄大な利根川の流れでも見ませんか（笑）。

時代の中で生きる、消費されるだけでなく

国谷　本の中で、先生は「アートの位置づけを社会の中の自由の位置づけの尺度にして捉えることができるだろう」と書かれています。これを読んだ時に思い浮かんだのは、「あいちトリエンナーレ」のことでした。

小沢　アートの位置づけが社会の寛容さと関係しているのは確かだと思うし、それが成熟なのか、どうなんだろう。

国谷　表現を社会がどこまで受け入れてくれるかっていうのは意外と脆《もろ》いのかもしれない

ですね。

小沢　そうです。すごく脆いと思います。すぐひびが入る。だからそれを意識して生きていかなきゃいけない。

僕は戦前のことをけっこう調べたことがあるんですけれど、多くの作家はあまり危機感を持っていなかったと思うんですよ。戦ってた美術家とか文学者は少なかった。まあ一部、小林多喜二《こばやしたきじ》みたいに拷問《ごうもん》にあっちゃう人や、かなり過激な人たちもいましたけれど、それ以外の動きってあんまりなかったみたいなんですよね。戦争に協力しないと絵の具も配給されないんで、当時かなりとんがって活動していた絵描きたちも、手のひらを返したように戦争に協力するような絵ばっかり描くようになる。音楽家や文学者も、小学校の教科書に載ってたような有名な作家はみんな協力してた。それを大人になってから知って、けっこうショックでしたね。そういうのを調べていると、ぼんやり生きているとそんな変な絵を描かされてしまうんだということが見えてくる。僕はそんな生き方はしたくないなと思っています。

国谷　《ベジタブル・ウェポン》（二〇〇一年）はさまざまな国や地域に出て行ってインタビューし、食文化も学び、最後は食べるという作品ですね（**図3**）。

小沢　まずモデルとなる地元の方にインタビューして好きな地元料理を教えてもらって、

一緒に地元のマーケットに食材を買いに行き、その食材を使って銃を作って撮影する。その後、それを解体して皆で料理して、食べながら語り合う場を設けるっていう。

国谷 これは、二〇〇一年の作品ですね。ちょうど同時多発テロ事件が起きた年です。

小沢 それで、暴力に対抗するものっていうのを考えたんです。最初はアジアの国々、それからアメリカ、ヨーロッパ、アフリカ大陸とさまざまな地域で行ってきました。戦争とかテロの原因って、よその文化を理解していない、そういう無知や偏見が根底にあるから。互いにいろんな文化を知る、その入り口としては食文化を楽しむっていうのは入りやすいところかなって。で、それを形に持っていく、武器というものに対する批判を美しく形にするにはどうすればいいのかと考えて。

国谷 そうですか。やはり先生の作品は、時代と社会情勢を考えて観ないと。

小沢 時代の中で生きている感じなんで。でも、その時代で消費されるだけではなく。

国谷 普遍的なメッセージがあるわけですね。

一枚の絵が飢える子どもを救うこともできる

国谷 先生は学生たちに何をどう教えていらっしゃるんですか？

小沢　最近やったのはリサーチ。取手のエリアをリサーチして、それを作品化しましょうっていう課題です。ここに通ってくる学生は駅からバスに乗ってきてここで降りるから、駅前から学校までの間のことは知らない、関係ないんですよね。

国谷　駅から五・九キロもある。

小沢　その広いエリアの歴史とか地形とか自然とかを調べてみて、それを元に作品化しようという課題だったんです。川には昔は渡し船があったのでその辺のことを調べたり、釣り人と交流して語り合ってた学生もいたし。そんな課題をやっています。どこにアートのネタがあるかわからないから、その可能性を拡張するような。さっきも旅をした話をしましたけれど、ものすごく遠いところに何かあるかもしれないけれど、ものすごく近くて、見てないところもちゃんと見ようって。だって、学校のバス停のもう一つ先って、絶対に誰も行かないじゃないですか。でもあえてそこに行って、何か発見するっていう。こういう美術という仕事をしてるんだから、無駄なことをやっ

図3　《ベジタブル・ウェポン—さんまのつみれ鍋／東京》2001年
（所蔵：国立国際美術館、大阪）

てみたらどうかなって。

国谷　今の学生は、苦手じゃないですか？

小沢　だからあえてやってみたり。

国谷　自分ではしないようなことをすると接点が広がりますよね。地域との接点も。

小沢　そう思いますよ。とにかく知らない人と会ったりとか、インタビューすることは大事だから。

国谷　そういえばお母さまがおっしゃっていたそうですね。「一枚の絵が飢える子どもを救うこともできるんだ」と。

小沢　僕はそう信じていたんですけど、母親は覚えてないみたいです。僕にとっては忘れられない言葉です。

国谷　すてきな言葉です。ですから一本の鉛筆でできることを大事にしている。

小沢　してます。描くのは大事だと思って。

国谷　卒業してアーティストとして先が見えなかった時期も、一日一枚のドローイングを自分に課していたそうですね。

小沢　やってました。不安だから。

国谷　先生が苦しんだような、この先どうなっちゃうんだろうっていう時代を、学生たちはどうやって乗り越えたらいいと思いますか?

小沢　月並みですけど、継続は力になる……けど、それだけじゃないのかもしれないけど。

　他の科と何が違うのか。「材料が決まっていない。自分の作りたいもの、アイデアがあってそれを表現する一番合う材料を探すのが先端」と答えた小沢先生。とにかく知らない人と会ったり、インタビュー、リサーチしたりすることが大事で、自分は社会学が好きだと話してくれました。

　気になっていた「呪」という字。次の作品?　と聞くと首を横に振られました。九月を目指して構想中。「壮大、めちゃめちゃ大きい」とだけ教えてくれました。

(国谷)

10

「芸術と社会の新しいチャンネルを作る」

日比野克彦
美術学部先端芸術表現科教授

日比野克彦
（ひびの・かつひこ）

1958年岐阜県生まれ。1982年東京藝術大学美術学部デザイン科卒業。1984年同大学院美術研究科デザイン専攻修了。在学中に「段ボール」を用いた作品を発表し、国内外で展覧会を開催する他、舞台美術、パブリックアートなど、多岐にわたる分野で活動。地域性を生かしたアートプロジェクトを展開し、2014年より異なる背景を持った人たちの交流をはかるアートプログラム「TURN」を監修。東京藝術大学美術学部長、岐阜県美術館長、日本サッカー協会社会貢献委員会委員長なども務める。1982年日本グラフィック展大賞受賞。平成27年度芸術選奨文部科学大臣賞（芸術振興部門）受賞。
公式HP　https://www.hibinospecial.com/

日比野先生の部屋に入ると目に飛び込んできたのが天井《てんじょう》からつりさげられた大きな二つの人形と部屋の真ん中の机に置かれたこれまた大きなソンブレロでした。藁《わら》とヤレイを編んで創作されたこれらの作品は南米の高齢者施設で日比野先生が行ったプロジェクトの成果。入所者に編み方を教えたら、見事な作品ができあがったと嬉しそうに話してくれました。

ソファの上には何やら大きな紙袋。サッカーのユニフォームが詰まった袋の中から女子サッカー選手のユニフォームをいくつか取り出してきたので早速それを着ることにしました。すると日比野先生も飾ってあった日本代表チームの最新ユニフォームにチェンジ。サッカーに情熱を注ぐ日比野さんのフィールドに入ったことで楽しい雰囲気で対談がスタートしました。（**国谷**）

作家になるだけが藝大生の目標ではない

国谷　日比野先生の活動が多岐《たき》にわたるということで、今日はサッカーのユニフォームを着てやりましょう（笑）。

　先生は日本サッカー協会の社会貢献委員会委員長でもあり、藝大はサッカー協会とは社会貢献活動推進の連携協定も結んでいます。具体的にはどのようなことをなさっているんですか？

日比野　藝大の授業としては、学生がサッカー協会がやっているSDGs的な社会貢献活動を撮影しに行って、編集した動画をサッカー協会のホームページで発信したりしています。Jリーグも地域に根差したスポーツクラブだから、地域との連携を確実に進めてきています。スポーツはアートより早く届く。アートもこれに追随《ついずい》して動こうとしている背景があります。

国谷　藝大生に藝大自身がやっているSDGs的なことも発信してほしいと思います。いろんな先生方がやっていらっしゃることを、目に見える形で。

日比野　そう。そこを大学として発信していきたいですね。個々の先生方がやっている部分を大学としてまとめれば、もっと藝大の魅力をアピールできるのかなって。そういう時期だと思いますね。

僕が携わっている「DOOR（Diversity on the Arts Project）[1]」という履修証明プログラムは、「福祉×芸術」って言っているけれども、こういう活動は「福祉」にとどまらずいろんな社会的課題を抱えているコミュニティに広げていける。さまざまなコミュニティにアーティストがいてコミュニケーションをとって、それがあたりまえになっていく。アトリエで自分の作品をつくるだけがアーティストの表現方法じゃないというメッセージは、これから藝大として展開していかなくちゃならない。

国谷　就職先としてもつながっていきますね。

日比野　藝大生って、個性が強い人が多いけれども、どこの人材にもいないような魅力があると思います。

国谷　日比野先生は、早くから社会と芸術との接点の中で制作活動をされていたイメージがあります。

日比野　僕はデザイン科出身なので、社会と関係性を持つというところが枠組としてあったし、興味があった。中学校の時の美術の先生がデザインの先生だったんですよ。それでポスターとか宣伝とかコピーづくりを授業の中でやったりとかして。

国谷　小学生の時は漫画家とサッカー選手を目指していたけれど、高校一年の時に、「生きることは自分を表現することなんだ」と気が付いてアートを目指すようになったと。

日比野　当時、通っていた高校では一年生から受験戦争が始まっていた。入学式の時から文系理系分けられて、志望校を担任に聞かれて。この言葉はそんな時に出会って、「自分を表現するものは何かな」と考えたんですよね。「絵を描くことかな……じゃあ美術に行こう」って決めた。それが高校一年生。

国谷　その「生きることは自分を表現すること」という言葉にはどこで出会ったのですか？

日比野　たまたまテレビを見ていたら、コンテンポラリーダンサーがすごい踊りをしていて、インタビュアーがそのダンサーに、「あなたはなぜ踊っているんですか？」と質問したらダンサーが、「自分のことを表現するために踊ってるんです」と。矢継《やつ》ぎ早《ばや》に、「あなたにとって表現するとはどういうことなんですか？」と聞いたら、ダンサーは「表現することは生きることなんです」と答えた。「生きるためには表現すればいいんだ」って、その言葉と出会って、自分は美術で表現しようと思ったんです。

国谷　テレビも役に立ちますね。素直な日比野少年の中にはその言葉がスーッと入ったのですね。

日比野　きっと、当時悩んでたからその言葉がスッと入ってきたんだろうね。高一のその時にサッカーを辞めて、美大に向けてデッサンなどを始めました。でも、サッカーが諦めきれてなくて、今頃サッカー熱が重くなってる（笑）。年とってからのおたふく風邪みたいな。

「I LOVE YOU」プロジェクト――「芸術は人を愛する」とは

国谷　藝大では「I LOVE YOU」プロジェクト[2]を立ち上げて、オリンピック・パラリンピックイヤーに向けて動いています。

日比野　「I LOVE YOU」プロジェクトでは、芸術が社会の中でどれだけ必要とされているのかを改めて問い直し、芸術によって社会は豊かになる、さらに社会課題を芸術が解決できるんだということを発信していきたいんです。藝大は作家を育成する教育機関っていうイメージがあるけれども、社会貢献するという役割もしっかり意識していますよっていうことを発信する。

国谷　Iが「芸術」で、YOUが「人」ですね。

日比野　はい。「芸術は人を愛する」。

国谷　その言葉に込められたのは、芸術というものの役割なのでしょうか。

日比野　この言葉が生まれてきた背景は、科学や宇宙が解明されて将来ほとんどの職業はＡＩにとって代わられるみたいな話がある中で、「人が人たる所以《ゆえん》」って何だろう？　それは芸術にあるんじゃないかっていう想いです。人が芸術を行うんじゃなくて、元々芸術ってものがあったと思うんです。全ての人間にとって、自分たちの誇り、アイデンティティは何かって言うとやっぱり芸術性だと思うんですよね。根本に芸術があって、その上に国や文化や経済がある。そのことを、藝大がちゃんと声高《こわだか》に言っていかないといけないんじゃないかなと。

国谷　そもそもなぜいろんな芸術が生まれたかっていう原点の部分です。皆既日食とか科学的なことが解明される前、人間が自然界の不思議なものや不気味なものを見ながら、それに対して気持ちを表現したり、自然界に状況を治めてもらおうとして、いろんな歌や踊りや表現を作り出したと言われています。人間の気持ちの衝動的な部分から想像力・創造力が喚起され、芸術が発生する、というふうに捉えることができます。

日比野　それと、どんどん技術が進んでＶＲとかＡＲ、ゲーム的なものが溢れています。その一方で藝大には昔からの伝統的な技法もある。鉄を溶かしたり、石を叩くのと同時にネット上でも作品をつくるっていうのは、藝大生では十分ありえる。伝統的なものと最先端のもの。この両方を備えることが可能な藝大だからこそ、藝大ならではの社会貢献のやり方があるんだと思います。

国谷　「I LOVE YOU」プロジェクトは学内応募でたくさんのプログラムが採択されました。このプロジェクトを通じて具体的にどういうものが発信されればいいなと思いますか?

日比野　まず個々のプログラムが、なぜこれが「I LOVE YOU」のコンセプトに合致していて、なぜこれが社会の課題を解決することになるのかっていうことを一番初めに掲げています。演奏会、展覧会、講演会、シンポジウム、何であれ、参加者に、「芸術ってそんなやり方があるんだ!」「芸術ってこんな役に立っているんだ!」「課題解決型なこともありえるんだ!」と気付いてもらえるような視点を大切にしています。

このままではAIの藝大生が生まれてしまう

国谷　芸術に対する風向きは、オリンピック・パラリンピックでの日本の文化発信ということでは追い風が吹いているようで、一方では「あいちトリエンナーレ」のように表現の自由とか自由な創作といったことに対して基準を狭めるような、風通しがよくないと思える動きもあります。日比野先生は芸術家の感性が社会の中で多様な視点を与えて、寛容さとか社会の中の豊かさを育《はぐく》むということを大事にしていますよね。今のこの空気はどのように感じていらっしゃいます？

日比野　パラリンピックもそうだけど、寛容になっていく精神がある一方で、例えばＳＮＳの中はもう全然寛容じゃない、とげとげしい。その両方がある今は過渡期《かとき》のような気がするんだよね。全てを受け入れようって言いながらも、片や「私の世界に入ってこないで」みたいなことがこの三、四年すごく顕著になって。ＳＤＧｓとかダイバーシティって言葉が世の中に広まっていく一方、他者排除みたいなものも同時に広がっている。このまま両方とも速度を増していったら、ちょっと人間やってられない。社会の中が、かなりきつくなる。やっぱり人間は生き残るために自分たちで軌道修正するしかないと思います。

国谷　芸術の力とか役割を伝えるのは簡単ではないですよね。

日比野　芸術を数値化するって難しいじゃないですか。でも社会の風潮としては、評価を数値化して出しなさい、という傾向にある。世の中の芸術が全て数値化されて、藝大に来る子たちも「どうすれば評価の数値が上がりますか？」ってなっちゃったら、何のための藝大か、何のための芸術かわかんなくなっちゃう。

そんな計算ができる芸術はきっとＡＩにとって代わられて、優秀なＡＩの藝大生が生まれてしまう。それは違うでしょ、全部数値化される社会ってどうなのよってことを、藝大が現場の声として言っていかないと。

人間本来の力を意識する「TURN」の活動

国谷　そういう発信力を持って声を挙げていくのであれば、なおさら圧倒的な芸術の力で社会貢献していますとか、社会との接点がたくさん生まれていますとか、そういうものを出していけたらいいなって思います。その意味でも、先生は、多様な人々の出会いによる相互作用を表現として生み出すアートプロジェクト、「TURN」[3]に相当、力を入れていらっしゃる（図1）。ただ、この「TURN」という言葉がなかなか理解できなくて。回るとか引き返すとか、言葉の意味をまともに受け取るとそうなりますが……。

日比野　「TURN」を生み出す経緯の中で、ある時会議で、「陸から海へ」っていう言葉が出たんです。人間は生物的に進化して海から陸地に上がって、今人間になっている。そこで、海から陸へじゃなくて「陸から海へ」で、元々人間が持っている力をしっかり意識しようって。

さっき国谷さんが言った、元々あった人間のイメージする力・創造力って、だんだん進化すると人間は忘れちゃう。便利なほうがいいからね。進化の過程で蓋《ふた》をしてしまった能力がたくさんあるから、「それをもう一回意識しに行こうよ、陸から海へ行こう」という意味で、その行為を何て言おうかっていうことで「TURN」が生まれてきた。引き返すっていうか、ちゃんと自分で心の底に元々あったものをもう一回確かめに行く、みたいな意味での「TURN」です。

国谷　人間の本能的な感情とか衝撃とか、もっと感じ取れる人間の部分を呼び起こそうということでしょうか。その現場としてアーティストがレジデントになったりしているのが、障がいを持っている方々が生活している福祉施設や障がい者施設です。それはなぜですか？

日比野　最初のきっかけはやっぱりアール・ブリュット(4)です。障がいを持った人たちが描いた絵画とかに興味を持って、その人たちが描いてる現場を見たいと思って福祉施設に行くようになったんです。

例えば色鉛筆と白い紙があって、そこに風景を描こうと思う。水色の色鉛筆があったらそれを取って空を描く。対象を見て、似た色の鉛筆を探して描く。それがこの道具の使い方だと思いますよね？　それが彼らは違う。色鉛筆で描かれた絵を見て、「すっごい絵だな。色鉛筆でぎっしり描いてある。かっこいいな」って思って、その作者に会いに行ったんです。色鉛筆ってきれいにグラデーションで並んでいますよね。赤、オレンジ、黄色、黄緑って。それをその作者は端っこから取って使って、芯がなくなると電動鉛筆削りでウィーンって削る。描く、ウィーンって削る、描く。その繰り返し。鉛筆がちびっこくなるともう鉛筆削りに入らないから、それを置いて、隣の色に移るんです。それでまた描いて、ウィーンって削る。それが結果的にすごい絵になる。

　その作者にしてみれば、鉛筆削りが好きなんです。ウィーンってやりたいから鉛筆を摩《ま》耗《もう》させて、削ることが目的で、絵は単なる芯を減らすためだけの色面なんですよ。でもそれですごいものができる。絵の描き方とか道具の使い方が全く違う。自分は自由だと思ってたのが、「あれ？　色鉛筆の使い方を決め込んでた？」みたいな。かなり嬉しい衝撃。これはまだいろいろあるんだなって感じた。

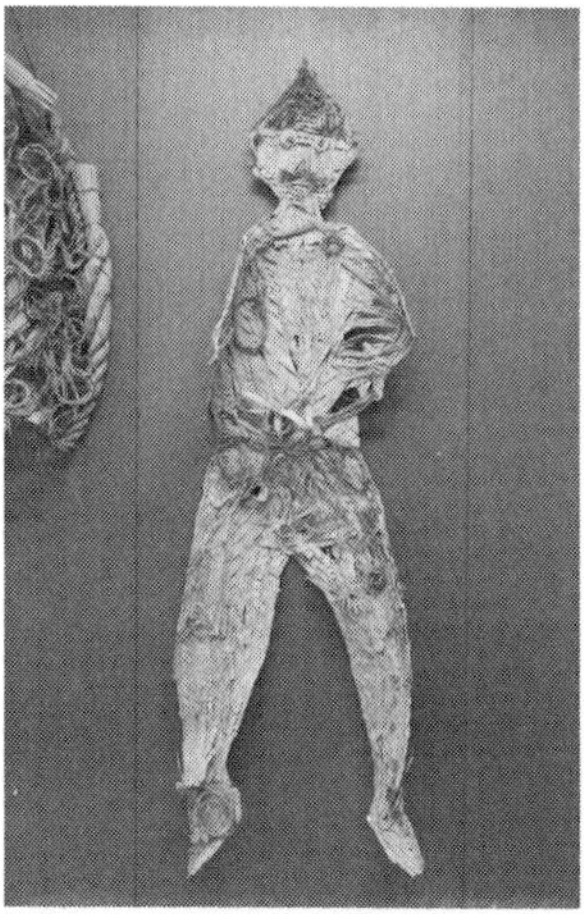
図1　「TURN」プロジェクトのキューバでのワークショップで製作された藁とヤレイの作品

　障がい者施設とか福祉施設とか限界集落とか、世の中的には不自由だと言われるようなところに行くと、アーティストから見れば魅力のある出会いがたくさんあるんです。

もっと巷《ちまた》に衝撃的な作品がある

国谷　どちらが最初のきっかけですか？　アートを社会的な多様性につなげていくということから発想されたのか、それとも、本能的な刺激を受けて自分の想像力がもっと自由になる場がアーティストとして大事だという思いからなのか。どちらから？

日比野　それはアーティストですね。この世界って、一定の技術を満たして上手に描けるようになると、次は個性を求められる。僕がデザイン科の学生だった時はクラスに四十五人いたんですが、その中にはいろいろいるじゃないですか。すごく緻密《ちみつ》な作業が上手《うま》いとか、色彩感覚がいいとか、立体的な感覚がいいとか。みんないろんな個性を持っているけれど、自分らしさって自分ではけっこうわかんない。同級生から「これ日比野らしいよ」って言われて気付いたりする。三年間ぐらい一緒に生活していると、お互いに趣味とか生活とか性格もわかってきますから。僕も昔はきちんと緻密に描いたりしてたんですよ。

国谷　本当ですか？

日比野　それが苦しくて、でも頑張ろうみたいなことをやってました。絵を描く時って、こんな感じでいこうと思ってラフスケッチを描いて、それを清書するわけですけど、ある講評会の時に、「このラフのほうが日比野らしいよ」ってふうに言われて、「え？　これ俺らしいのかな」って。これは楽でいいやみたいな。

国谷　（笑）。

日比野　でも本当にそうですよ。僕も学生に対して教えるけど、「無理するな」と言います。辛いと思ったものは合ってないから楽しいことをやったほうがいいよって。それからはフリーハンドとか気楽に描けるもので作る今の作風になってきたんだけど、そうやって見ると、もっとフリーなひとがいるわけですよ。「うわ、なにこれ⁉　ちょっとどうやって描いたらこんな世界に行き着けるの？」って衝撃を受けて、アール・ブリュットの作品に興味を持ったんですよね。

国谷　社会課題と芸術がつながらなければいけない、そういう理念的な理由からではなかったのですね。

日比野　自分の作品のオリジナリティを出すためにそういうところに行き着いたんだと思います。障がいを持った人の絵だけじゃなくて、その中には子どもの描いた絵もあるし、プリミティブアートもあるし、民芸品もある。優秀な作品が集まる展覧会場より、もっと巷に衝撃的な作品があることに気付いた。そういったことの延長線上に、障がい者とか福祉施設がある感じです。

国谷　アーティストがコミュニティに入っていって、出会って、共同作業をすることによって社会とつないでいくっていう、そういう概念は後付けで作り出していったわけですね。

日比野　そうですね。「TURN」はそういう体験をベースにして、いろんなアーティストや藝大生が中心になって、最初は国内で始まり、南米とかに海外展開もしています。

異質なものと出会ってこそ

国谷　多様性が大事だと言われている割には、この社会は異質なもの、自分と違うと感じられるものに対して乗り越える力が弱い。日比野先生も、異質なものに出会わなくなってきた、避けようと思えば異質なものと接しない社会になってきたっておっしゃっています。

日比野　そうだね。その異質なものと出会ってこその藝大なので、人間は異質なものと出会ってこそ、それぞれが光ってくるんだっていうことを藝大から発信していきたいですね。

国谷　実際に先端芸術表現科では、その異質なものとの出会いを、学生たちに対してどのような授業で、何を大事にして教えていらっしゃるのですか？

日比野　学校の中での授業より学外での活動を、教えてるっていうか連れ出してるって感じですね。近年でいえば瀬戸内国際芸術祭とか大地の芸術祭とか、この「TURN」プロジェクトとかっていうところで日比野研究室の学生たちも一緒に動いています。

僕が教員になったのは、一九九五年だから二十五年前。最初はデザイン科の教員で呼ばれたんです。当時は自分が教育者になる、藝大に呼ばれるなんて思ってもみなかったけれど、商業施設とかストリートとか、テレビの仕事とか、メディアの仕事も多くやってたから、そういう仕事をしているから学生を外に連れ出してほしいってことで呼ばれたというのもあったと思います。

国谷　それにしても日比野先生は活動が多様ですよね。アーティストとして活動を始められた頃から、プロダクトデザイン、演劇の企画や脚本、衣装、舞台装置の製作、テレビの司会者もなさって。デザイン科の学生が社会のそういうさまざまなクリエイティブなことに関われるというロールモデルになっていると思います。

日比野　僕が大学を卒業してすぐの頃からいろいろな表現をしてきました。誰と仕事するかで発信する方向は違ってくる。例えば野田《のだ》秀樹《ひでき》さんと仕事すると舞台の表現になる。NHKのディレクターと仕事するとテレビでの発信になる。メーカーのデザイナーとやるとそれがプロダクトになっていき、飲食店のオーナーと仕事すると内装になっていくとか。でも僕のやることは変わらない。最近はアートプロジェクトがメインでやっていますけどね……。

国谷　卒業生の進路という課題がありますが、先輩としてどうしたらいいと思いますか？

日比野　芸術っていうのは企業でもコミュニティでも絶対に役に立つと思うんですよね。それと集団の中にはいろんな種類の人がいたほうがいい。会社とかコミュニティって何のためにあるかって考えると、価値観の違う人が出会うためにある。会社でもコミュニティでも、アーティストが一人いたほうが、その集合体は豊かになると思う。だからそういう認識を社会に発信していけば、藝大生や美大生たちが一般企業とかいろんなコミュニティに行く道筋ができてくるんじゃないかなと。まだ理想だから実績を上げないととか、その評価はどうやってやるのとか、だんだん話が複雑になってくるんですけど。

大学時代の発見と出会い

国谷　藝大生だった日比野克彦はどのような活動をしていたのでしょう？　三年生の六月に古美術研究旅行に行ったあたりから作品制作活動が活発になっていって、九月の藝祭で「DIAMOND MAMA」というカフェを教室に作ったんですよね。そのあとにご自分が一番表現できると思った素材の段ボールを廃材置き場で見つけた。

日比野　藝祭の時にグループ展をしようってことになって、自分たちの教室を改装してカフェにした。当時、福田繁雄《ふくだしげお》さんていう僕らの先生がいて、福田さんが外からいろんなデザイナーを呼んできていて。それで講評会が終わったあとに一緒にお茶を飲んだりお酒を飲んだりするサロンを作ったんです。それが「DIAMOND MAMA」（**図2**）。

国谷　段ボールでウェディングケーキを作って、その上で男女を対決させるという作品を作ったそうですね（**図3**）。

日比野　「対決」をテーマに作品を作るというのがありました。立体でもいいし平面でもいい。メディア問わず材料問わず。それが三年生の最後の課題で出て。ウェディングケーキを作るために段ボールを探してたわけじゃなかったから、まずは素材を探しにいって、段ボールの素材から発想したのかな……うん。ここから段ボールで作品を作るようになった。

国谷　なぜウェディングケーキの上で男女が対決？　ガールフレンドと対決していたのですか？

日比野　そうだね、わかりやすく言うと（笑）。「対決」っていうテーマから男女っていうのはまずあったんだろうね。同じ目標を持った若者が集まれば、いろいろ言い合っているうちに恋愛感情も生まれてくる。そんな年頃の中でのウェディングケーキと男女の対決だったんだろうね。

国谷　その学生時代の延長線上に今の「DOOR」とか、芸術の力で社会課題に対応しようとする活動があるとおっしゃっていますが、なかなかつながりが見えにくいのですが……。

演劇、アート、社会……区切らずに考える

日比野　うん……。学生時代もそうだし、もっとさかのぼって小学校時代の環境からつながっているかもしれない。

小学校一年の時に、身近で起こった事件を担任の先生が創作劇にして、子どもたちで演じたことがあります。その小学校は附属小学校でみんないろんなところから来てたから、バス通学をしている子が多かった。夏の暑い日、バス停で待ってると暑いじゃないですか。そのバス停のすぐ後ろに銀行があって、ある時誰かが銀行の中はクーラーが効いてて涼しいってことを見つける。それで、みんなで銀行の中でバスを待つようになる。そのうち誰かが、冷たいお茶が出る機械があって、自由に飲めることを見つける。そうすると、学校が終わるとみんな銀行にお茶を飲みに行くようになってしまった。紙コップも珍しかったのかな、マイ紙コップにして持って帰って次の日にまた使って。

国谷　偉い。リユースですね。

日比野　そう。学校の自分の机の引き出しに紙コップを入れて、授業が終わると紙コップを持って銀行に行くっていうのをしばらくやってたら、ある日担任の先生が、今日はちょっとみんなに伝えたいことがあると。「みんな銀行は知っていますか？　銀行は何があるところか知ってますか？」って聞かれて、「うーん、お茶を飲むところかなあ？」って言

図2　デザイン科3年生の教室に作ったカフェ「DIAMOND MAMA」（1980年）

図3　デザイン科3年生の時の課題「対決」の提出作品（1980年）

うと、先生が「銀行っていうのはね……」って説明する。それで、その事件を先生が「銀行のお茶」っていう創作劇にして、秋の学芸会で自分たちで演じたんです。その銀行の人たちを学芸会に呼んで観てもらって、最後に銀行の人に対するメッセージを言って終わったんだけど、それをなんかずーっと覚えている。社会的な課題っていうか自分の身近な出来事が作品になっていくっていうのは、僕のテーマっていうのかな、小一のその時からずっとある。

国谷　素晴らしい先生ですね。日常の出来事を教材にして、子どもたちを傷つけないように理解させ、そして銀行の人たちを呼んで劇を観せることで事を荒立てずに治めた。やっぱりクレームが来たんでしょうね、銀行から。

日比野　来た来た（笑）。劇の最後に銀行の人たちにメッセージを伝えると、銀行の人たちは拍手してくれて。僕たちは、「銀行の人たちが困っていたけれど、これで喜んでもらえてよかった」って。野田秀樹さんの舞台とか、寺山修司《てらやましゅうじ》さんの芝居とか、そういう演劇とかアートとか社会とかっていうものの、区切りをつけずに考えることができたのかな。今から思えば。

国谷　原体験ですね。習字の先生も素晴らしかったとか。

日比野　隣の席の女の子はお習字教室に通ってて上手かったんだけど、僕は全然ぐちゃぐちゃ。ある日、習字の時間に先生が近づいてきた。僕が注意されて隣の子が褒められるんだろうと思ってたら、全く逆だった。隣の子に、もっと自由に書けみたいなことを言ったんだろうね。すごく優秀な隣の子が注意されて、僕が褒められたから余計に、「えー!?この授業楽しい。面白いな、この先生いいな」って。現代書家のすごく有名な先生だったんです。

国谷　三年生の時は毎日放課後に詩を書かないといけなかった。

日比野　大変だったけど面白かったですよ。朝起きて、すぐ詩を書くネタを探さなきゃいけない。日常を観察する力や表現する力が培われるってことだろうね。

国谷　二年生の時に病気で八カ月お休みした時のエピソードも素晴らしいなと思いました。

日比野　小児腎炎で死にかけたらしいんだけど、あんまり病気をしているという意識はなくて、両親は大変だったってあとから聞きました。毎日クラスメイトが遊びに来てくれて、寂しくはなかったですね。その時本当に漫画をいっぱい読んだ。あと、大手出版社から名画全集とかが出始めた頃で、ちょうどお袋が絵も好きだったから、病室にゴッホとかセザンヌ、ルノワールなんかの画集があった。漫画は二回見るとなんだかつまんないけれど、絵は何度見ても面白い。見るたんびに違うなとか、あれこんな絵あったっけとか。だから病院にいた時は絵を見る時間はかなりありましたね。

国谷　学校では創造性とか社会の眼差《まなざ》しを大事にした教育を受け、学校に行けない時は漫画とか画集から何かを吸収し、そして友だちがずっと寄り添うっていうか、そばにいてくれたんですね。

日比野　先生が毎日三人ぐらいずつ連れてくるんですよ。友だちはみんな行きたがってたって。でもあとから聞いたら、先生が大学病院の食堂でうどんを奢《おご》ってたらしい（笑）。放っておくとみんな行かないからうどんで釣ってたって。でも三杯は奢れないから一杯をみんなで分けて食べて、それが面白かったたって。まだ当時はコンビニもない頃だから、先生に連れられてうどんを食べるなんて、すごい面白かったんだろうね。

その頃はかなり革新的に、教育改革をやろうっていう号令をかけて、担任の先生が任されて自分の授業を作ってたんだって。その一年と三年の時の担任の先生は両方ともご健在で、今でも僕が岐阜に帰って何かやると遊びに来てくれます。

国谷　お話がつながってきたように感じてきました。「TURN」と「少年時代」と「対決」と（笑）。

社会課題の解決にアートの力、イノベーションを生み出すためにデザイン思考など最近さまざまな分野でアートを活用する動きが高まっていますが、日比野先生は早くから多様な場所で自分を表現してこられたのです。

対談は、外へ外へと目を向け芸術と社会との新しいチャンネルを作ってきた日比野先生のその原点を探るものになりました。たどり着いた小学生時代のエピソード。銀行とのトラブルをクリエイティブの力を使い、子どもたちも巻き込みながら解決を図った担任の先生。その体験は今につながる「自分の身近な出来事が作品になる」ことと語った日比野さん。ぜひ、もっと多くの子どもや大人、もちろん学生たちがそうしたことを肌で学べるよう場づくりをしていってほしいと思いました。**（国谷）**

註
（1）DOOR（Diversity on the Arts Project）https://door.geidai.ac.jp/
（2）東京藝大「I LOVE YOU」プロジェクト　https://iloveyou.geidai.ac.jp/
（3）TURN　https://turn-project.com/

（4）アール・ブリュット＝フランス語で「生《なま》の芸術」を意味する。フランスの画家、J・デュビュッフェは幼児、精神病患者、囚人など美術の正規教育を受けていない人々が他者を意識せずに創作した芸術をアール・ブリュットと呼んで高く評価した。アウトサイダー・アートとも呼ばれる。

11

「『この人の演奏を聴きたい』と言われたい」

高木綾子
音楽学部器楽科（フルート）准教授

高木綾子
（たかぎ・あやこ）

愛知県生まれ。東京藝術大学音楽学部附属高校、同大学音楽学部器楽科卒業。同大学院音楽研究科器楽専攻修了。フルートを西村智江、橋本量至、G・ノアック、小坂哲也、村上成美、金昌国、P・マイゼンの各氏に、室内楽を岡崎耕治氏に師事。日本フルートコンベンションコンクール優勝及びオーディエンス賞（1999年）、日本管打楽器コンクール、フルート部門第1位及び特別賞（2000年）、日本音楽コンクールフルート部門第1位（2001年）、神戸国際フルートコンクール第3位（2005年）など受賞多数。国内外で活発な演奏活動を行う。2000年3月に『シシリエンヌ〜フルート名曲集』、『卒業写真〜プレイズ・ユーミン・オン・フルート』を同時リリースしてデビュー以来、多数のCDをリリースしている。

公式HP（オフィシャルブログ「ALLA LIBERTA!」）

https://ameblo.jp/takagi-ayako/

フルートといえば優しい、きらびやかな女性が吹いているというイメージが付きまとう。それはフルートの音色が柔らかく小鳥のさえずりのようだったり、CDのジャケットにエレガントな女性奏者の写真が載っていることと深い関係があると思います。写真で見る高木先生はまさにそのイメージ通りでした。

大学三年で早々とCDデビューのチャンスを摑《つか》み、将来の子育てを考えてオーケストラに入るのではなくスケジュールに柔軟性のある大学で教鞭《きょうべん》をとる仕事を選択し、演奏活動も活発に行ってきました。三十二歳で長男を出産、育休を一度も取ることなく三人の子どもをとても計画的に生み育てているスーパーウーマンとして紹介されることが多い。

仕事も私生活も自分のやりたいことをやっていけるように努力を続けてきたという高木先生とのお話は、新型コロナウイルスの影響から始まり、コンクールの挑み方に続きました。どうしたら大舞台に強くなれるのか。そして対談が進むにつれ話は言葉の大切さにも拡がりました。（**国谷**）

多様になってきた演奏家の活動の場

国谷　高木先生は今（二〇二〇年）、大変なのではないですか？　新型コロナウイルスの感染拡大を受けて、全国の学校が臨時休校でしょう。お子さんは小学生ですよね？

高木　そうですね。でもちょうど大学が入試期間中で授業がないということもあって、私が家に居られる日は家に居て、大学に来なきゃいけない日は主人がリモートワークで自宅勤務して、入れ替わりで。

国谷　コンサートもキャンセルになっていると聞きますけれど、影響はありますか？

高木　三月前半まで入試期間中だったので、コンサートの予定はあまり入れていなかったんです。三月後半以降のコンサートは、主催者が延期や中止の可能性を探っているようです。

国谷　お子さんたちへの影響はどうでしょうか？

高木　状況は子どもたちなりに理解しています。ただ、どんどんストレスが溜まってきていますね。午前中は宿題をさせて、お昼ご飯を食べた後に少し散歩とか、買い物がてら公園で一時間くらい遊ばせて、という感じです。

国谷　高木先生のように、三人のお子さんがいながら演奏活動もして、大学で教員もして、という方はなかなかいらっしゃらないので、今までもダイバーシティとか子育てについてインタビューを受けられることが多かったと思います(1)。もちろん、そちらも大事ですけれど、あえて、今日は違う話をお伺いしようと思っています。

高木先生のキャリアを見せていただいたら、あまりにもたくさんコンクールの実績があってびっくりしました。ところがインタビューを拝見すると、コンクールの実績なしにCDデビューできたとおっしゃっていて。

高木　はいはい（笑）。

国谷　演奏家としてコンクールは登竜門というか、自分のやりたいことをできるようになる一つの大きなきっかけですよね。コンクールに強くなるにはどうしたらいいのでしょうか？

高木　コンクールに強くなるには……ですか。学生たちにも言っているんですけれど、昔に比べて今はコンクールの数が多いんですよね。私の師匠の金昌国《きんしょうこく》先生の時代は、数年に一回しかフルートのコンクールがないという感じでした。日本音楽コンクールも当時はフルートが審査対象になるのは八年に一回だったし、ジュネーブとかミュンヘンとか海外でも数年に一回という世界でした。だから昔の人たちはコンクールに命をかけていたんです。その時期に合わせて準備をして、自分を高めて。今は、年間五、六回もあるから、とりあえず数を撃てという感じになっている。学生たちもみんなコンクール慣れしてしまっているので、少しだらけた雰囲気を感じます。

国谷　これがだめなら次があるさ、みたいな。

高木　そうなりますよね。だから、コンクールが数多くあることが学生のためになっているかというと、疑問なところもあります。入賞すると自信にはつながるので、多くの人が入賞するのはいいことだと思うんですけれど、でも蓋《ふた》を開けてみれば、結局本選に残るのはだいたいいつも同じメンバーなんです。一人が国内のコンクールの上位一、二、三位を三、四個持っているのが当たり前。さらに言うと、大きなコンクールで三つぐらい一位を獲っても就職できないのが当たり前。だからそういう意味では、コンクールだけが将来のことを決める世の中ではないのかなって。

国谷　なぜこんなにコンクールが増えたのでしょう？　フルート人口が増えているからですか？

高木　フルート人口は増えてはいないと思います。私たちが学生の頃は、私立の音楽大学だと一学年に八十人位、フルートの学生がいると言われていた時代なので、それと比べると、フルートを学ぶ学生は減っていますね。

国谷　面白い現象ですね。学生数は減っていて、コンクールは増えている。チャンスはあるけれど一位を三回獲っても就職できない。

高木　ものすごく厳しい世界ではあると思います。ただ、今の音楽業界では、いろんな形で活躍できる場が増えています。私たちの時代はやっぱりCDを出すことや依頼を受けてコンサートで演奏することが、プロの証《あかし》みたいなところがありました。でも今は、自分でホールを借りるとか、レストランライブ、イベント、ユーチューバーみたいな動画配信で活躍する人もいて、自分の演奏を人に聴いてもらう機会はものすごく増えていると思います。

国谷　そうですよね。自分でイベントを企画して場所を借りることもできますし、周知にしても自分のネットワークとか、SNSを利用してもできます。

チャンスを無駄にしないために結果を出す

国谷　高木先生は在学中にCDデビューをされました。その時にコンクールの受賞歴がないということで、「私はコンクールで勝ちます！」と、とにかく矢継《やつ》ぎ早《ばや》に受けて国内の四つの大きなコンクールを制覇されたという。

高木　いや、そういうわけでも……。CDデビューのきっかけは、プロデューサーさんが私の出身地、愛知県豊田市のコンサートホールに来ていて、私が出るコンサートのチラシがたまたま目に留まったんですね。ホールの事務局の方も「この子はスーパースターですよ！」と薦めてくださって。ちょうど「Jクラシック」というジャンルが話題になっていたこともあってCDデビューのお話をいただいたわけですが、私はまだ大学三年生でしたし、賞を獲っていない学生がCDデビューをするような時代ではなかった。

国谷　そんな大それたこと、できませんって。

高木　自分でも学生の身分でCDデビューしていいのかよくわからない。もちろん五嶋《ごとう》みどりさんのように、小学生の頃からCDデビューするような人もいますけれど、この大学でそれが許されるのかわからない。そこで指導教員の金先生にご相談してみると、「この世界は一度CDデビューを断ると、あの子はCDデビューしないという噂が立つことがある。今ならデビューしてもいいという時に、そういう噂が流れているととても不利になってしまうから、ここは断らずにやってみなさい」と、許可してくださったんです。ただし、学業とか自分の練習の妨《さまた》げにならないようにって。

お話をいただいたのは大学三年生、録音したのは四年生、発売したのは大学院に入ってから。四年生の時にコンクールで二つぐらい優勝したので、CDが出た時にはいくつかタイトルを持っていたんです。でも、CD出す前から、「CDデビューするらしいよ」「なんであの人が？」というような噂話は、あっという間に広まるんですよね。そういう後ろ指を指されて生きていくのも嫌だし、手っ取り早く人から認められる方法はやっぱりコンクールで入賞することだろうと。せっかくCDデビューのチャンスをもらったんだから、それを無駄にしないような結果を自分で付けていくしかないと思って、コンクールでタイトルを獲ることに集中した時期はあります。

国谷　そういう雰囲気の中で実力を試すためにあえてコンクールに打って出る。CDデビューがない状態と比べると、むしろプレッシャーは強いわけですよね。

高木　そうですね。

意識して「言葉」にすることが大切

国谷　演奏家とスポーツ選手ってちょっと重なるところがありますよね。みんな切磋琢磨《せっさたくま》して一生懸命練習して、体調を整えて、どうしたら認められるだろうかって。その瞬間瞬間にベストのパフォーマンスをしなければいけないという意味では似たところがある。実力があっても、その場に行った時にベストのパフォーマンスをすることができない人もいます。

高木　才能はあるけれどなかなか勝てないという人は、私が教えている学生の中にもいます。でも……まあ私もその当時の審査員たちがどういうふうに私を見ていたかは全然わからないんですけれど……。とにかく自分の〝音楽観〟みたいなものをものすごくアピールしていたと思います。今は演奏しながら「この楽曲の構成は……」とかいろいろ考えちゃいますけれど、若い時は若いなりの熱意みたいなものが演奏に出ていく。その熱意は魅力的だと思うけれど、聴いているほうはただ熱意を聴いているだけだと疲れちゃうじゃないですか。なので、そこの加減はプログラミングとかで工夫する。その時代ごとの背景をちゃんと入れ替えることを、コンクールの時は意識していたと思います。自分のプロデュースとか、演奏の中身というかプログラミングのプロデュースは、考えていたほうが聴き手に伝わりやすいんじゃないかなと。

国谷　「時代ごとの背景を入れ替える」というのがよくわからないのですが……。

高木　私たちが演奏する曲は、作られた時代が全然違うものなんです。バロックや古典、ロマン派とか近現代とか、国も違えば時代も違う。例えばドイツで生まれてフランスで勉強した作曲家もいる。作曲家が学んだ場所とか、仲良くしていた周りの人たちとか、師匠とか、同時代の作家とか画家とか、雑学じゃないですけれど、こういう時代の中でこの人は音楽を書いていたんだなって、自分の中で膨らませるんです。

国谷　それが全部その曲の表現の中に？

高木　入っていくものだろうと私は思っています。

国谷　高木先生のレッスン風景をビデオで拝見したのですが、「何が悪かったか〝言葉〟で言いなさい」ってよくおっしゃっていました。私は素人なので、演奏は間違えたら演奏で返せばいいのだろうと思っていましたが、高木先生は言葉にしてほしいと。息子さんにも同じようなことをおっしゃっていました。

高木　そうそう（笑）。

国谷　言葉を使って仕事をする者としては、言葉にこだわっていらっしゃるのは非常に面白いなと思いました。これはどういう意図なのですか？

高木　若い頃から、よく楽譜に言葉を書いていたんです。例えば、一つの曲を物語に書き換える。曲とは全然関係なくていいんです。ここは誰と誰の出会いの場面とか、ここはどっちかが怒っていてどっちかが泣いている悲しい場面とか、自分が簡単に思い浮かべやすい物語にして書き留める。本を読むことが好きだったからかもしれません。楽譜に書いておくと、演奏しながらパッと見てすぐ気持ちがわかりますよね。楽譜に反応できるんです。

国谷　う～ん。私にはよくわからない（笑）。

高木　練習すれば音符は覚えられるけれど、本番では緊張して感情面で入り込めなかったりする。そんな時、言葉があれば「こういう気持ちで吹かなきゃ」って反応できる。もともとはそこから始まっているのだと思います。

次に言葉を意識し始めたのは、人に教えるようになってからです。演奏の中で無意識にやっていることってあるじゃないですか。それを人には言葉で教えるしかない。例えば、口の中でどういう空間ができているとか、自分の息がどこに当たっているとか、どこを意識して響かせるとか、お腹の空気の持っていき方とか。そういうことを逐一言葉に置き換えて伝えて初めて、自分の吹き方がよくわかったんです。今こうやって吹いているんだってことを、自分で再認識するっていうんですかね。教えている時にそういうことを学んだんです。だから学生たちにも、雰囲気で吹くのではなく、〝どうやって〟の部分、〝何を伝えたいのか〟の部分を言語化するように指導しています。あとは、間違っている場所は毎回間違えるから、口で言わせる。ただの音間違いとして認識するんじゃなくて、ここがこう間違っていると言葉で認識すると、直しやすいというか。

国谷　言葉というのは非常に不思議です。私は帰国子女なのですが、アメリカから帰って来て日本語で仕事をしなければいけなくなった時に、英語のニュースを聴いて日本語に直す練習をしていたことがあります。その時もただ単に頭の中で直すよりも実際に口に出して言ったほうが、言葉が自分のものになるという感覚がありました。あるいは言葉を書きながらしゃべるということも、同じようにその言葉が自分のものになるという感覚がありました。今先生がおっしゃったことで、繰り返しミスをする部分とか、何を伝えたいのかを言葉にさせるというのは、より深い認知につながる可能性があるのかなと思いました。

高木　無意識でやることと、意識をして言葉に出してやるということでは、かなり差が出てくると思います。楽器をやっていると、慣れているから音を鳴らすことはできる。でも言葉で言うというのは、楽器を吹く脳と違う部分の脳をプラスアルファで使うことになるので、もう一個積み重ねて確信が増えていくと思います。例えば、「楽譜を読む」ということでも、楽器で音を出すのではなく全部音名で言うということを学生によくやってもらいます。口で滑舌よく言えれば、指は勝手に動く。実際に音で認識して指を動かしているよりも、音名を言って音を認識したほうが指がよく動くんです。

国谷　音名を声に出すことで指がよく動く、繊細につながっているのでしょうか。

高木　多分、何かあるんだと思います。

年季の入った練習用の楽譜

精神面は本当に弱いので……

国谷　ちょっと話を戻すと、コンクールでは時代背景を考えたりストーリーを考えたりして、想いを込めて演奏するだけではなかったというお話がありました。あと何か勝てるヒントって、ありますか？　精神面とか。

高木　精神面では本当に弱い人間なので……。

国谷　うそうそ！

高木　本当なんですよ。そうやって見られるんですけど。舞台を踏んでいくうちに自分がどういう状況だとどうなりやすいっていうのはわかってきますよね。ただ、コンクールで勝つヒントというわけではないですね……。

国谷　自分との戦いですよね。いかに乗り越えるかって。

高木　まあそうなんですけれど、ベストを尽くせば勝てるということでもないので、とにかくその場で聴きたいと思われるような演奏を目指すとか。自分が惹《ひ》き込まれる演奏をする人物を想像して、自分はそういう人間であると思い込むとか。

あとは、すごく単純な話で、例えば一〇〇人受けて本選に残るのが五人で、その間に一次、二次、三次とあるとすると、まず一〇〇人からだいたい五十人に落とされ、五十人から十五人、十五人から五人っていう感じになる。一次の一〇〇人から五十人というのは、二人に一人。ということは隣の人より上手く吹けばいい。前の人か後ろの人のどちらかより上手く吹けばいいんです。それだったら何とかいけるかもしれない。二次の五十人から十五人だとちょっとレベルは上がるけれど、三人に一人だから前の人と後ろの人より上手に吹けばいい。だからその人たちよりは上手に吹けるようにしようって。

国谷　そんなふうに考えていくのですね。

高木　でも、最終的に本選に残るのは別です。ソリストとしてどういう華を持っているかを見られるので、「この人はこういうこともああいうこともできる。じゃあコンチェルトを吹かせたらどんなことをしてくれるんだろう？」と想像させるような三次にする。それが結局はその曲の時代背景の理解とかプログラミングだったりします。

国谷　いっぱい引き出しがあるように見せないといけない。

高木　そうですね。審査員に、「一次二次聴いて、三次もこれだったら本選は想像がつく。もう先は見えたから、この人はもういいか」という気持ちにさせてはいけないので。

国谷　高木先生は、「私はフルートが嫌いです」とインタビューでおっしゃっていました。でも今使っていらっしゃるフルートに出会ってからは、もっと生々しい音や低音で力強い表現ができるようになって好きになりましたと。それは、フルートにまつわる商業的な固定観念と言いますか、フルートは女性が吹くものであって美しくて優しくて音色がエレガントで、ということへの反発だったのではないでしょうか?

高木　どちらかと言うと自分の性格とか根性は、そういうフルートの商業的な固定観念からは、かけ離れたところにあるのかもしれないですけれど……。

国谷　刷り込まれたフルートのイメージって、いまだにありますよね。

高木　あります。ただ、作曲家も、朝の爽《さわ》やかな場面とか少し幻想的な場面とか、そういう場面でフルートを使っていて、おどろおどろしいテーマの時には使わない。音としてそういう音なのでしょうね。

でもフルートは、管楽器、特に木管楽器の中では一番、呼吸困難になりやすい楽器なんです。なぜかというと、他の楽器は全部マウスピースとかリードを咥《くわ》えるんですよね。ということは穴の分だけ空気が入っていく。でもフルートはオープンエアと言って、吐く空気の三分の二が楽器に入るけれど、三分の一は外に出ちゃう。自分の肺に入った空気の三分の一は無駄にしているんですよ。だから「フルートは酸欠になるから無理」と諦めていく人が多いんです。

国谷　全然イメージと違いますね。

高木　違いますよね。それだけしんどいことをしているのに、いいイメージしかないのはおかしい。もうちょっとフルート奏者の苦労を感じてほしい（笑）。それと、オープンエアなので人間の声、つまり声楽とすごく近いものを持っていると思うんです。声楽は普通の楽器よりもエネルギーを使っている感じが観客にも伝わるし、歌詞もあるから観客は表現したいものがわかる。でも、フルートだと音しか聞こえないので、音が細くてきれいなことと、短調か長調かぐらいしか伝わらない。これだけ感情的に演奏していても、そういうふうに聴いてもらえないのかなって思っていたんです。

だけど、今使っている楽器に出会って、この楽器だったら私がやりたいと思う音、きれいなだけじゃない人間の汚い部分の表現だとかが、人にも伝わるんじゃないかって。フルートでそういう表現をしていくことが楽しくなりました（**図1**）。

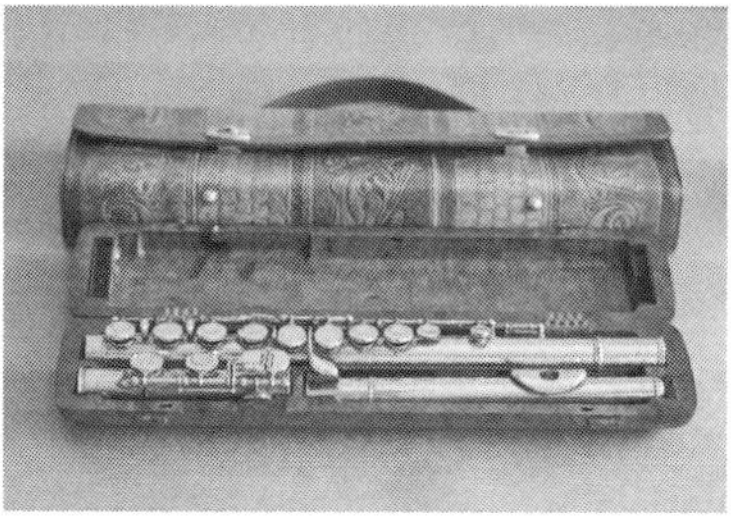

図1　高木先生が現在使用しているフルート。出会いは高校時代にさかのぼる

演奏家でなく音楽家になりたい

国谷　CDデビューのきっかけは、プロデューサーが高木先生のコンサートのチラシに目を留めたことでした。きっ

と、若いきれいな女性が優しい音色を響かせるという、商業的に刷り込まれているフルートのイメージにぴったりだと思われたのでしょう。先ほど先生から、フルートのもっと奥深いところとか、吹くだけでも大変だというお話を伺いましたが、音楽業界がフルートのイメージを限定しているのではないでしょうか。ご自身はもちろんそれでチャンスを摑んだわけですが……。

高木　本当はそういう箱に入れるためだったんじゃないかということですよね？

国谷　そうです。その箱に入れられることに対しての反発もあり、フルートはそんなものではないということを伝えたいという強い気持ちもあった。だから、フルートは嫌いと発言されたり、コンクールに挑戦し続けたりして、フルーティストのイメージを打ち破りたかったのかなと思ったのです。

高木　そうですね……。歴代の著名な笛吹きたちがたくさんいるんですけれど、演奏家と音楽家、二種類のタイプがいる気がするんです。演奏家、テクニシャンとして、うわーっと騒がれる人と、音楽家としてテクニックではなく音楽が気持ちに寄り添う人。私はどちらかと言うと音楽家になりたい。ただ、フルートが嫌いって言っていたのは、自分が表現したい音楽がフルートだと物足りなかったから。そういう意味では「フルートが上手な演奏家」じゃなくて、「この人の演奏が聴きたい」って言われる音楽家になりたいというのがありました。

国谷　フルートの固定観念を変えることによって、もっとフルートの表現の幅が広がるのではないかと思います。

高木　そうですね。音楽業界も、売るためには見た目がいいに越したことはない。でも、私はそのおかげでチャンスをもらえましたが、見た目だけじゃない部分もちゃんと評価していただけたのはありがたかったですね。

国谷　結果的に。

高木　はい。最初のCDは名前を知ってもらうために、一番フルートらしい曲を集めたフルートの小品集、二枚目は松任谷由実《まつとうやゆみ》さんの曲でした。それで、松任谷由実さんを選んだ時にけっこう驚かれたんです。なぜかというと、当時は安室奈美恵《あむろなみえ》さんが人気の時代で、松任谷由実さんはもうちょっと前の時代。しかも声も渋くて。そういうちょっと変わった作品を選ぶ子なんだと。その次が『ジェントル・ドリームス』で少し近現代の曲を入れて小品集の枠を超えたところをやって、そのあとにソロ。現代曲って、普通だったら聴く人なんていないじゃないですか？

国谷　難しいですよね。

高木　はい。ですから、そうやってフルートの可能性を広げていくように、作品を選び、

ＣＤを出してくださったので、ある意味フルートの聴き方も変わったと思います。巨匠と呼ばれるジャン＝ピエール・ランパルとかオーレル・ニコレのような、男性で体も大きい人たちの演奏もすごく味があるんですけれど、私は今の生活の中にある曲を演奏しつつ、近現代の曲も演奏する。そんな姿を、今の人たちは、自分の生き方を重ねて聴き、一緒に成長するように迎えてくれたんじゃないかなと思います。

身近な存在でいられたら

国谷　私はいろんな分野における固定観念の打破に向けてダイバーシティ推進の活動もしています。高木先生は子育て、演奏活動、教育と、いろんなフィールドで自分の可能性を制限しない生き方をされていて、ぜひそういうことを発信し続けていただけたらと思います。

高木　そうですね。今の時代はＳＮＳとかいろんな方法で発信ができます。半分私生活をさらけ出しているようなものですが（笑）。私のファンは男性より女性のほうが多いんですよ。特に主婦層。

国谷　等身大で。

高木　そうなんです。例えば、昔フルートをやっていたけれど、仕事や子育てで全然フルートが吹けなかった人が私の活動を知って、「私も時間を作ってできるかもしれない」と再開したり、ブランクのある演奏家から、「もう一回舞台に出たいんだけど、きっかけはどうしたらいいんですか?」と相談されることもあります。あとは、毎年学生が卒業していくので、卒業生からの相談もあります。私がここに勤め始めた頃に卒業していった子が、「先生みたいに活動しながら三人子どもを持つのが理想です」と言ってくれたり。

そういう意味では、ファンの方や教え子たちにとってすごく身近な存在になっていると思います。私が学生の頃はそういうことを相談できる先生はいなかった。男性が多かったし、男性でも子育てに没頭している先生はいませんでした。そういうことを直接アドバイスできるのはいいことだと思うんです。そういう立場でもいられたらいいなと思います。

国谷　学生たちに一番学んでほしいことはなんでしょうか?

高木　それは……自分で探してほしい。学ぶことを自分で探せる人になるということを学んでほしい（笑）。みんな言われたことはできるようになるけれど、言われなくても自分でできないことを探すとか、自分に足りないものを探す、自分が不得意なものを探すということを、自分でしてほしい。そういうのがちょっと今の子たちは不得意かなって思います。

「フルートは木管楽器の中では一番呼吸困難になりやすい楽器。楽器に吹き込む空気の三分の一は外に出て無駄になってしまう」高木先生は立ち上がって実際にフルートを力強く吹いてくださった。その瞬間、私が持っていたフルート奏者のイメージは崩れました。〝これだけしんどいことをしているのに結局はいいイメージしかないのっておかしくない？〟肺活量はスポーツをしている成人男性並みにあるそうです。

「フルート奏者」ではなく「この人の演奏を聴きたい」と言われたい。

高木先生が固定化されたイメージと闘い、そのイメージを乗り越えていきたいという想いを聞いた気がしました。（**国谷**）

註

（1）東京藝術大学ダイバーシティ推進室のインタビュー記事 http://diversity.geidai.ac.jp/interview/takagiayako/

12

「オルタナティブを常に考える」

箭内道彦
美術学部デザイン科教授

＊コロナ禍の影響で、オンライン対談となった

箭内道彦
（やない・みちひこ）

1964年、福島県郡山市生まれ。東京藝術大学美術学部デザイン科卒業。クリエイティブディレクター。博報堂を経て、「風とロック」設立。タワーレコード「NO MUSIC, NO LIFE.」キャンペーン、リクルート「ゼクシィ」、サントリー「ほろよい」、グリコ、パルコ、資生堂など数々の話題の広告を手掛ける。「月刊 風とロック」発行人。福島県クリエイティブディレクター、渋谷のラジオ名誉局長、ロックバンドの猪苗代湖ズのギタリストでもある。2016年、東京藝術大学美術学部デザイン科准教授、2019年より現職。学長特命（広報・ブランディング戦略担当）も務める。

　三十年近く働いたテレビ報道の世界を去ってすでに四年、久しぶりに会う人とNHKの『クローズアップ現代』について話をした後に、「今どうしていらっしゃるのですか？」と必ず聞かれます。「『クローズアップ藝大』をやっています」というと、みんな途端に笑顔になって「えっ？　それ何ですか？」と尋ねられます。中身よりタイトルに惹《ひ》かれてホームページをのぞきにいっている方も多いかもしれません。この企画の生みの親が箭内道彦さん。おかげでクローズアップという言葉が私からいまだに離れないままになっています。

　箭内さんは『クローズアップ現代』のゲストとして何回かご出演いただいています。金髪の派手なアピアランス。なんでも前のめりな方なのかと思っていたら、打ち合わせではじっと制作サイドの話に耳を傾けていた姿を思い出します。

　SDGsの発信に力を入れていますが、より良い世の中にすることを目的にしたマーケティングで人の行動を変えられるのだろうか、そんなことを考えながらクリエイティブディレクター、箭内教授とのオンライン対談に臨みました。**（国谷）**

今回はゲストから逆インタビュー

国谷　箭内さんは「クローズアップ藝大」のプロデューサーです。いつものようにやっていいんですか？

箭内　僕はこのホームページ[1]の各コンテンツの一応編集長みたいな感じになっているんで、当分出てこないようにとは思っていたんですよ。「裏方のお前が、一年経ってもう出てくんのか」みたいなのはちょっと恰好悪いなと思ったので。ただ、この一年とこれからの一年を一度国谷さんとちゃんと話したほうがいいなと。普段だとそれぞれの先生を訪ねて、それぞれの先生の魅力だったり人間臭さだったりを掘り下げていただいているわけですけど、このパンデミックの時代に藝大がやらなきゃいけないことはたくさんあると感じていて、国谷さんと話したいなと思ったんです。だから本当は逆インタビューなんです（笑）。

国谷　私も箭内さんに聞きたいこと考えてきました。過去のことも、今のことも聞きたい。

「クローズアップ藝大」の誕生と狙い

箭内　ＮＨＫの『クローズアップ現代』が二十三年の幕を閉じて、国谷さんはこれからどうするのかと思っていたら、「あっ、藝大にいた！」っていうのがすごくびっくりでした。そもそもなぜ藝大の理事になられたんでしょうか？

国谷　ちょうど澤和樹《さわかずき》先生が学長になられる時に私は『クローズアップ現代』を辞めて、いろんな学校、大学からもお声をかけていただきましたが、最初に声をかけていただいたのが藝大だったんです。なぜ声をかけられたのか不思議でした。

実は、あとでお話ししたら、澤先生が、藝大と社会をもっとつなげたいと。藝大が最後の秘境みたいに世の中と切り離されていてはサステイナブルではない、もっと社会と藝大の接点を増やしたいと思われていたらしくて。ずっと『クローズアップ現代』を見てくださっていて、なにか思われたのでしょうか、声をかけていただいた。

初めてご挨拶に行った時に、とても不思議なご縁があることがわかったんです。澤先生は和歌山ご出身で、私の母も和歌山出身。話をしていたら、「お母さまのお名前は」って聞かれて、「和中《わなか》」っていいますって答えたら顔色が変わった。私の祖父の名前が和中金《きん》助《すけ》というんですけれど、「僕の最初の後援会長でした」って。

箭内　えー、そうなんですね。

国谷　はい。祖父が後援会長。それは全くご本人も知らないで声をかけてくださって。とてもご縁を感じたというのと、それに藝大にはあこがれがありました。私もアメリカの大学でシルクスクリーンなど、いくつかアートの単位を取りました。でも、芸術家の方々は近寄りがたいものがあると思え、東京藝術大学は遠い存在。一方で、『クローズアップ現代』をやっていて、イノベーションや素晴らしい発想など、さまざまな意味で人を結びつけるアートの力をもっと活用しなければいけないということは以前から思っていました。それで、あこがれのところから声をかけていただいたならやるしかない、むしろやってみたいと思いました。素晴らしい先生方がいらっしゃるだろう、人との出会いも楽しみで、そういう場にちょっとでも接点を持てたら学ぶことも多いし、もしお役に立つのならと思いました。

箭内　今国谷さんにおっしゃっていただいたように、その「あこがれの」っていう部分がなくなってきているんです。でも自分が三年も浪人して苦労して入った学校が、いつまでも輝いていてほしいなと思った。だから、自分の小さな力かもしれないけれど、藝大をもっとあこがれの場所にして、だけど、世の中から遠くなるのではなくて、どんどん近づいていきながらあこがれの高さは高くなるようにしたいなと思っている今日この頃なんです。

国谷　アメリカのスタンフォード大学ではアートの分野、デザインの分野は、大学の競争力の源泉になっています。藝大は日本の伝統文化の守り手、そういうところから、非常に革新的なアートマネジメントやインスタレーション、映像もアニメーションまでフルセットで持っています。しかも人材がそろっています。

箭内さんのおかげで、多彩な先生とお話ししたり、取手や横浜の馬車道など、いろんなところを覗かせていただき、アーティストの方々の頭の中をちょっとだけ見るようなこともできて、少しだけ藝大の一員になれたような気もします。

箭内　まだまだ国谷さんを持ち腐れしているというか、もっともっと活用したいです。それにしても「クローズアップ藝大」って、よくあのタイトル国谷さんにOKいただけたなと思ってます。

国谷　皆さんから受けてます。大受けですよ。タイトルをお話しすると、よく思いつきましたね、と言われます。

箭内　「クローズアップ藝大」の狙いは、藝大の人間力っていうのか、いろんな面白い人がいる宝庫だってことを外に伝えたいというのはあるんですけど、それ以前に、国谷さんに藝大を見てほしいということから始まったんです。同時に先生方が国谷さんと会うことで国谷さんに「開発」されていくと思ったんですよ。単純に過去から現在までの自分の話をするだけじゃなくて、国谷さんからのド直球だったり変化球だったり、するどい突っ込みによって、もう五十代六十代になっている先生方だけど、何か新しい発見だったり、自分の考えが初めて言葉になったりするわけです。そういうことがあると、藝大が絶対もっと強くなるなと思ったので、国谷さんを刺客《しかく》としていろんな先生のところに差し向けているんですよね。栄光をただ語っていただくんじゃなくて。

『クローズアップ現代』に呼ばれて出演した人みんなそうだと思いますが、国谷さんと会う、国谷さんと話すというのはとても楽しいんだけど、自分が今まで経験した知識をただ披露《ひろう》するだけじゃ帰さないぞっていう空気があるんです。国谷さんと話すことによって、新しく自分の中に湧いてくるアイデアであったり提案であったりを得られる番組だった。あの番組を、よく、二十三年間もやってた人がいたもんだなって思うんです。それが、名前が「藝大」と「現代」でちょっと掛詞《かけことば》になっているだけじゃなくて、ああいうボールを藝大のあちこちに投げてほしいなって思った。それが正直な狙いです。

秘境の暗闇の扉を開ける

国谷　毎回この人に何を聞けばいいんだろうかと考えさせられます。何度も聞かれたことを伺って「ああまたか」っていう顔をされないようにちょっと違う切り口でお聞きしたいとは思っているんですが。反対にプロデューサーから見て、なにか注文はありますか。

箭内　むしろもっとぐいぐいいいって大丈夫だと思います。藝大の、本当に秘境の「暗闇」

の扉を開けてもいいんじゃないかと。

国谷　えー、どういう部分ですか。耳打ちしていただくといいかな、これからは。

箭内　面白い先生がたくさんいますからね。一カ月に一回がちょうどいいペースだと思いながら、どんどんいろんな先生と会ってほしいなとも思っちゃいますね。

国谷　皆さん、言葉をお持ちです。作品や演奏に至るまでの思索というか、プロセスの中で「言葉」と向き合っていらっしゃる。ジャーナリスティックな部分も多いとの印象です。作品を自分の中で作り出すまでに、たくさんの人にインタビューしたり、イメージを刺激する場所に行ったり。何をテーマにしたらいいか、そのアンテナが極めて先進的です。

小沢剛《おざわつよし》先生（美術学部先端芸術表現科教授）をインタビューさせていただいた時に、小沢さんはかなり前に、チベットの山の上でプラスチックボトルが転がっているのを見て、それを大量に集めて絨毯《じゅうたん》を作った。今のプラスチック問題が起きるずっと前に、そのことに気が付いてメッセージを発信しようとしていた。社会はまだ気が付かないうちにです。それで先生にその絨毯はどこにいったんですか？　って聞いたら、どこにいったかわからない（笑）。

山村浩二《やまむらこうじ》先生（大学院映像研究科アニメーション専攻教授）はひたすら一人で、コンピュータもほとんど使わず、手描きをされています。インタビューで忘れられないのは、子どもの頃に宇宙の果てはどこにあるんだろうと考えたことをいまだに思いながら、どうしてこの世界は生まれたのか、どうして僕たちはここにいるのか、それを知りたいと思ってアニメーションに向き合っているとおっしゃっていたことです。創造する中で何か根源的なことを知りうることがあるのではないかと。宇宙と対話しながら制作しているとおっしゃいました。

箭内　世の中から見ると浮世《うきよ》離れというか、ちょっとわからないことをやっている人たちっていうレッテルを貼られがちですけど、今の時代、いろんなことが立ち行かなくなってきて、その中で考え抜いて手を動かし続けている。アートっていうのは何か額に入れて飾っておくだけのものじゃなくて、世の中が変わっていく、良くなっていくことのヒントがすごく変なところに入っているかもしれない。で、それが真ん中で議論をしている人たちには発想できないものだったりする。社会とアートをつなげることの重要性って、そこにある気がするんですよ。この数百年の中でアートというものが今の時代に特に必要であることは歴然としているわけです。

僕がよく言うのは、例えば二つの勢力が対立していて、町内会でもいいですけど、町内の壁の色を塗り替える時に、「赤くしたい」という勢力と「黄色くしたい」という勢力があって、多数決で赤になるか黄色になるか、もしくは仲良く赤と黄色を混ぜて、ちょうど間のオレンジ色に塗っておきましょうとなるんだけど、そうではなくて、第三の答え、アートの答えだと、「赤でも黄色でもなくて青のほうがいいかもしれない」と言ったり、もしくは「この壁とっちゃったほうがいいかもしれない」と言えたり、「壁をはがして違うものを作りませんか」と言えたりする。それがアートだと思うんです。アートはこの行き詰まった社会を変えていく大事な鍵になるはずです。アートを作っている側の人たちは、「俺はそんなこと考えてないよ」って言うかもしれないけど、そこを国谷さんだったり、僕だったりが、社会とつなげる役割を果たすのが大事かなと思います。

国谷　私は気候危機など地球の持続可能性について取材や啓発活動をやっていますが、箭内さんがおっしゃったように社会が今後立ち行かなくなるのではとの不安が高まり、一方で分断やギスギスした世界的な対立も起きています。日本社会においても、自分が心地よい人たちとだけ付き合うような感じがどんどん強まっている。そうなると、本当に大事な課題の解決ができなくなるんじゃないかと危惧しています。しかし、アートは、そういう中にあっても心をやわらかくしたり、人と人とをつなげていく力を持っていると思います。

若手芸術家支援基金の意味

国谷　新型コロナウイルス感染拡大の影響で、若手の芸術家たちが厳しい状況に陥っていますけれども、箭内さんの藝大の教え子や卒業生からも「大変だ」とか「辛い」といった声が届いているのではありませんか？

箭内　はい。本当に困っている卒業生たちは、一刻を争う、一日も早い支援を求めているという状況です。澤学長の強い思いもあって、「新型コロナウイルス感染症緊急対策　東京藝術大学若手芸術家支援基金」が立ち上がって、クラウドファンディングは七月三十一日（二〇二〇年）までです[2]。いろんな意見があると思うんですけど、学長が、「走りながら考えるタイプです」っておっしゃっていましたけど、しっかり検証も、走りながらしていきたいと思っています。

もっとたくさんの人にこの基金のことを知ってほしいし、拡散してほしいし、支援もしてほしい。芸術家って自分のこと以外に興味がないのかなって思う場面にも遭遇して、ちょっと寂しいとも思っちゃうんですけど、やっぱり自分たちの教え子であったり仲間であったり、未来の芸術を紡いでいく、つないでいく存在がここで途絶えてしまったらと考えたら、皆さんも放っておけないだろうなとは思っています。

国谷　先生方にインタビューをさせていただくと、若い頃に苦労された方も多くいらっしゃいます。非常に貧しかったけれど仲間たちといろんなトライアルをしてだんだん自分の道を切り開いていったっていう方もいらっしゃるので、もしかしたらその苦しいことが芸術家にとっては当たり前というか、「俺たちだってみんな明日はどうなるかわからない中でがむしゃらに切り開いてきたんだ」という思いを持っている方も少なくないと思いますが。

箭内　それはわかりますね。実際に、「苦労が肥《こ》やしになる」という部分もあって、芸術とともにそういうことを乗り越えていくことは、絶対にアーティストの表現にすごい力を与えているはずです。

ただ今回は、それ以上に若手芸術家たちから、もう続けることができないとか、経済的に限界であるという声が多く集まっている。そういうさまざまな人たちの「今を救う」という部分と、これからの新しい日常の中で「東京藝大が何を用意するのか」という部分をスタートさせるためにも必要なプロジェクトだとは強く思いますね。

国谷　そうですね。自分たちが作った、創造したものを表現する場がなくなるっていうのは一番辛いことではないかと思います。今おっしゃったようにそういう中で藝大が用意するものの一つとして、集めた資金で新しい表現の場を模索することを始めています。財政的にも大学として豊かではない中で、幅広く支えてもらいながら、新しい表現の場を作っていくことにチャレンジをしようとしているわけです。

箭内　お金が集まることももちろん大事なんですけど、気持ちが集まるというか、思いが重なるというか、多分それが一つ未来への大きな力になると思います。この基金を、「そんなのやってたの？　知らなかった。もう七月で終わっちゃった」みたいなことになるのだけはもったいない。

今日もずっと、広告とかメディアに関わる仕事をしている同級生たちに片っ端から電話していました。芸術に対する、自分たちの後輩たちに対する、あとは学校に対する思いですよね。

国谷　藝大は、卒業したらあまり大学への思いがない、というふうに言われる方もいますが。

箭内　そんなことないですよ。鼻にかけるのは良くないですけど、やっぱり誇りには思っていると思いますよ、みんな。

国谷　卒業生のネットワークが強固な他の大学と比べると、ネットワーク自体が希《き》薄《はく》なので、こういった場面になると、個人の力と個人のネットワークに頼るしかないですよね。

箭内　本当に、いい意味で「個」が確立している。「個」を確立させるための大学ですから、群れがちではないですよね。だからこそ、若くて本当の意味で孤立してしまっている芸術家たちに、支援が必要な時なんだろうなって思います。

国谷　そうですね。一番心配しているのは、だんだん藝大の志望者が減ってきているということです。苦しい社会状況の中で芸術を勉強しても生活していけないのではと親御さんが思ってしまったり、あるいは本人も、将来が不安になり受験しなくなる。そうなれば日本のクリエイティブの層が薄くなってしまいそうで残念です。藝大にとってもチャレンジする方々がたくさんいないと、この切磋琢磨《せっさたくま》する雰囲気は維持されないですよね。

箭内　若手が大変だってことをアピールするのは必要なんだけど、それによって、「ほら、やっぱり芸術って食べられないじゃない」という空気が広がって、志望者が減ってくるってことは、藝大のためにはもちろん、未来の芸術のために大きな損害・損失になってしまいますよね。

国谷　藝大自身が、自分たちは必死で一生懸命リスクを冒《おか》してやっているってことを見せないと、お金は簡単には集まらないのではないでしょうか。

箭内　はい。自分から電話したことなんて一度もなかったのに、「初めて電話来たと思ったら金の話かよ（笑）」って言われました。「三〇〇〇円からでも支援できるよ」って伝え回って。

国谷　サポートが拡がっていくようにするためには、まだまだ試行錯誤が続きますね。

人を動かす「広告の手法」

国谷　箭内さんは広告の世界に身を置いていらっしゃいます。広告は、人の行動や考え、ものの見方を変える力を持っています。私たちがこれから向き合う課題、例えば気候危機の問題、二酸化炭素を減らさないといけないとか、ＳＤＧｓが目標にしている、もっと包《ほう》摂《せっ》的にならないといけない、格差をなくさないといけないなど、世界には課題が山積みです。

利己主義と利他主義ってありますよね。ちょっと青臭すぎて申し訳ないんですけど。

箭内　青臭くいきましょう。

国谷　人間は利己主義なことには割と乗ってくる。トランプ大統領にも多くの支持者がいて、利己主義的な空気が広がっています。一方でグレタ・トゥーンベリさんのような若い人たちが出てきて、利他主義、未来の地球のことを考えて行動しないと間に合わないと主張しています。今、全ての人が影響を受け、特に弱い人が痛みを受けるコロナ禍の状況が起きているのに、やはり利己主義のほうが勝ちやすい。どうやったら利他主義的なことをアピールできて、人を動かせるのか。私はテレビの仕事を辞めてから藝大に関わるのと同時にSDGsを積極的に啓発してもう四年になります。かなり認知は高まっていますけど行動まではなかなかつながらない。どうしたらいいんだろう、何をどう訴えていけばいいのか。

私は言葉の力を信じていますが、言葉も軽くなってきて、たくさん流行語はあるけれど、すぐ消えていく。どうやったら人にアピールできるのだろうかと、悩みながら歩んでいます。

箭内　本当にそうです。

国谷　箭内さんが作った広告のコピー「NO MUSIC, NO LIFE.」じゃないですけど「NO PLANET, NO LIFE.」ですから（笑）。

箭内　「多様であらねばならない」とか「分断を避けなければならない」とか、「ねばならない」という話って、頭では賛同できても、そうじゃない自分に気が付くだけなんですよね、僕自身もそうですけど。広告の手法では、「多様でなければならない」じゃなくて「多様だったとしたらどんなに素敵なことなんだろう」っていうことを見せる。買わなければいけないじゃなくて、買ったらこういう気持ちになったり、こういう素敵なことが始まったりしますよっていう入り口を作るのが広告なんです。世の中が、「ねばならない」

っていう重い足かせや、重荷を背負って、悲壮感の中で新しい時代を作っていこうってていうのは、気高《けだか》くはあるけど難しい。多様ってものに触れてみたらこんなに面白かったたっていうことが、もっともっとあればいいと思う。逆に言うと、良くないこと、例えば、SNSの中の誹謗《ひぼう》だったり中傷だったり、それも「それを止めなさい」っていう広告じゃなくて、止めたらどんないいことが起きるかっていうことをちゃんと約束しなくちゃいけないなって思いますね。広告の頑張りどころだけど、なかなかそういうところの場面には広告的な考え方はまだ入ってきていないですよね。

国谷　新聞を見ても、SDGsがらみの広告が溢れています。自分の企業イメージを高めたい大手企業がSDGsに向けて一生懸命やっていますという広告をたくさん出している。でも企業の宣伝にはなるけど本当に人を動かすっていうところまではいっていない。人ってどうしたら動くんだろうって、ずっと思っています。箭内さんを見ているとご自身がものすごく動いていらっしゃる。モチベーションがすごい。箭内さんみたいな人がたくさん出てくればいいんですけど。

アフターコロナで何か変わるか

箭内　現在このＳＤＧｓの状況下で、新型コロナウイルスがやってきて、今いろんな人たちが「アフターコロナ」という言葉を使って、この後の社会やこの後の世界のことを論じ合っています。どうなってほしいという希望・願望も含めてだと思うんですけど、なんか変わらないような気もしますし、変わるような気もする。国谷さんはどう見ていますか？

国谷　変わらないと大変なことになるのですが、おっしゃられたように、喉元を過ぎればで、変わらないまま進んでいく可能性も高い。日本って、なかなか世界の空気、世界で起きていることに対する感度が弱い。

ニューヨークのクオモ知事が使った「Build Back Better」という言葉、ＢＢＢが盛んに言われています。「前より良くしよう」と。でも日本では、どういうビジョンを共有して何に向かっていくのか、何がベターなのかという議論がない。サステイナブル＝持続可能な方向に変革するためにはビジョンの共有が必要です。よほど企業や私たちが危機感を持っていなければ、変わらない。

ＥＵは自分たちが新しい世界のルールメイキングをしたいと思っている。ビジョンを作りルールメイキングをしていくことによって競争力につなげるという明確な戦略、ポストコロナの時代に競争力を高めようっていう戦略があるんですね。

箭内　先ほどから「分断」という言葉が出ていますけど、分断が非常に今進んでいますよね。僕と国谷さんは今、直接会えてないし、分断の壁は以前より高くなっている。この分断が進んだ中で、例えばアメリカでは「Black Lives Matter」運動が起きたり、一方で人種の問題が起きたりしています。これが進んでいくと、変わろうとする人たちと、変わりたくない人たちと、どっちでもいいけどまあ変わらないやっていう人たちの間にまた新しく分断ができるような気がしていて。この分断をどう解いていくか、壁をどう壊していくかも、僕ら、アートも含めて、ものすごく大きな課題に今なり始めているなと感じます。

国谷　感染症に関しても二〇〇〇年代に入ってから、ＳＡＲＳもＭＡＲＳもエボラ出血熱もジカ熱も鳥インフルエンザも、四、五年おきに世界中に蔓延《まんえん》するような危機が瀬戸際で留まっています。

　感染症の蔓延が起きる危険があるというリスクは前から言われていたけれども、そのリスクに耳を傾けずに今回こういうことになった。気候危機についても科学的なデータや科学者の警告はずーっと前から出ています。新型コロナパンデミックから学ばなければならないことは、きちっとこういうリスクに対して向き合って対策をとり、乗り越えていくことだと思うんです。

今、箭内さんがおっしゃったように、変えたいっていう人と、もっと目の前のことが大事で変えなくていいっていう人たちの分断が起きています。でも社会が変わる時は、何パーセントかの人たちがビジョンを持って変えたいと思うようになれば、急速に変化が起きると私は思っています。その何パーセントの人たちをどう作っていくか。

箭内　瀬戸際っていう言葉が合うかどうかわからないですけれど、本当に数年前から大きな過渡期が始まっていて、いろんなものがいい意味で壊れ始めていることを感じます。そして今、最後の頑丈だったものが壊れるか壊れないかにきていて、希望的観測をすれば、その先にきっと何か新しいことが始まるんじゃないかと思っています。確かに国谷さんが言うように、ティッピングポイントをどう作るか、どう人々が力を合わせるかってことですよね。

言葉の力を信じる

国谷　箭内さんは、言葉の力は信じていますか？

箭内　とても信じています。言葉にならないものの力も併せて信じています。言葉って、黙ってて口にしなかったら成仏しないものだと思うんです。だから、音声になる言葉だったり文字になる言葉はもちろんですけれど、それ以前の沈黙を含めて僕は信じています。
映画監督の是枝裕和《これえだひろかず》さんと昔仕事した時に、是枝さんがインタビューをしながらカメラで撮っているんですけれど、そこで相手の人が質問に答えられなくて。でも是枝さんは助け船一つ出さずに、困っている顔を何分間も撮り続けているんです。そういうことも含めて、シャープに言葉が出るだけじゃない、五分間考えて出たというそこもセットで、言葉の力ってなんかあるんじゃないかなと思っています。
「わからない」って言葉を発する人がいてもいい。だけど僕は「難しい」って言葉はあんまり好きじゃなくて──「難しいですね、これ」って言うと止まっちゃうんですよね。でも「わからない」っていうのは「じゃあどうしようか」っていうことの始まりになる気がして。なんか言葉の力っていうのと話がずれてしまったんですけど。

国谷　今はＬＩＮＥなどで一行のコミュニケーションみたいなものが頻繁《ひんぱん》に行われています。言葉が軽いというか、すぐに忘れられていく。言葉が槍のように人を傷つけたりしていますが、一方で、みんなが言葉を信じなくなってきています。その人でなければ言えない言葉だとか、わからないながら考えて考えてひねり出した言葉には、力があると思うんですけれど、そうした言葉が出るまで待つことをしなくなっている。

箭内　一部の政治家が言葉の価値をどんどん軽くしてしまってますよね。しかも積極的に早合点していく人も多いですしね。なんか、言葉の一行目だけを見て、それでもう瞬間沸《ふっ》騰《とう》しちゃうじゃないですか。もちろん自分の中にもそれがある。

国谷　そうですね。箭内さんは、言葉で勝負されています。

箭内　僕ですか？　そうですね。

国谷　広告など本当に少ない言葉で。

箭内　僕はですね、元々短い言葉が好きなんですよ。歌の歌詞であるとか、谷川俊太郎《たにかわしゅんたろう》さんの詩であるとか。すごく難しいことを簡単に言ってくれる言葉が好きなので、八木重吉《やぎじゅうきち》もすごく好きです。だからできるだけ、そこに近づくことはできないけど、そうあろうとは思っていて。簡単なことを難しく言うのではなくて、難しいことをできるだけ簡単に説明できるようにっていうのは考えています。もちろん、なかなかそうは上手くいかないですけどね。

問いかけはする。しかし、答えは話さない

国谷　箭内さんはデザイン科の先生をされているわけですが、教えている姿よりも社会との関わりのほうのイメージが強いので、いったいこの方は大学で十八歳から二十代前半ぐらいの若者に対して、何を教えているんだろうって知りたいと思っているんですけれど。

箭内　痛いところを突かれてしまいましたね（笑）。そういう質問来たらいやだなと思っていたんですよ。その質問に答えるとすれば、僕は多分、藝大の教員の中で一番教えるのが上手くないと思います。

国谷　何を伝えたいと思っているのか、何を与えたいのか、何を受け取ってもらいたいと思っているのか。そのためにどういう授業をされているのか知りたい。

箭内　そうですね。僕は自分が藝大の学生だった当時は、申し訳ないけど何一つ先生に教えてもらってないと記憶しているんです。でもそれが良かったなって今も思っています。それは、自由に楽しく四年間暮らせたっていうわけじゃなくて、自分で何かを見つけなきゃいけないという、ものすごい焦燥《しょうそう》感に包まれていたからです。答えを教えてくれる先生はいらないって僕は思っていて——それは他の先生方がものすごくしっかり教えられているから僕はそういうオルタナティブなポジションにいられるんですけど——できるだけ答えを話さないようにすることを意識しています。

国谷　でも、問いかけはするんですよね。

箭内　問いかけはします。授業でやっているのは、例えば二年生に出している課題は、「チャーミングに異を唱えよ」っていう課題。この世の中に生きていく中で自分が何か気が付いた、あれはおかしいんじゃないか、あれに不満があるっていうことを、まず見つけてくるんですね。で、それを、拳《こぶし》を振り上げて怒りを表明して「絶対反対！」って言うんじゃなくて、なんかみんながクスっと笑うような、賛成派も反対派もそのクリエイティブで一つになれちゃうような、そういう答え方を提示しなさい、という授業をやっています。

国谷　え！　難しそう。でも大事なことですよね。それができたらみんなまろやかになる。

箭内　今すごく、とても必要なことなんですよね。怒りをまっすぐに表明するのも尊いんだけど、それをやっちゃうとそれこそ線が引かれてしまうというかね、そうじゃない人たちからすると、ちょっと怖い、自分はあそこには入れないと思ってしまうんですよね。それを「チャーミングに」っていうのは、多分広告の手法でもあると思います。あと三年生に出している課題は、「世界平和を実現するデザイン」。何を作ったら世界は本当に平和になるのかっていうもので、それを具体的に作るんですよ。

国谷　へえー。

箭内　「映像論」という授業には、さっきの是枝さんも非常勤講師で来てもらったり、お笑い芸人で芥川賞作家の又吉直樹《またよしなおき》さんにも来てもらったり、脚本家の宮藤官九郎《くどうかんくろう》さんが来たり、豪華なんですよ。豪華っていうか、なんていうんですかね、そういう人たちに会わせてみたいんですよね、みんなを。

国谷　とても嬉しいだろうな。触発されるでしょうね。

箭内　あとやってるのは、ラップを作る授業。「自分が今思っていることをラップにしてみんなの前で歌いなさい」って。RHYMESTERのMummy-Dを毎年講師に呼んでます。そんなのどこがデザイン科なんだって感じですけど（笑）。そのあと、そこに映像を付けていくんですよ。みんな活き活きやっています。

　最近やって一番面白かったのは、それぞれに三十分のラジオ番組を作れっていう課題。そこで自分が今思っていることを話してもいいし、自分がものを作る時に感じていることを話してもいいし、自分が好きな音楽をかけてその理由をしゃべってもなんでもいいんです。みんな、誰にも言わなかったことを初めて言葉にする時の緊張とざわめきと、心地よさみたいなものを感じて、ちょっと病《や》みつきになってますね。それこそ言葉にすることによって、です。

国谷　そうですか。

箭内　第二弾作りましたって送ってくる学生もいたりして。色を塗ったり立体を作ったりということでは全然ないんだけど、そういう経験が、なんていうか、デザインがものを伝えたり何かを変えていこうという仕事なのだとしたら、外側にあるそういうこととの共通性を通じていつか、個人の中で「開通」されていくと思うんですよね。そういうのを、えらい先生に見つかったら怒られるだろうなと思いながら勝手にやってます（笑）。

国谷　そういうとてもユニークな授業で、今「開通」とおっしゃいましたが、箭内さんは伝えようというよりも、何だろう、与えるということでもないですよね。

箭内　そうですね、広告っていうのは、一つは応援することだと僕は思っていて。商品を応援する、企業を応援する、それを使う人を応援する、その商品がある社会を応援する。もう一つ、広告は、その対象の魅力を最大化させて世の中に放つことって思っています。だから学生たちが、昨日と違った表情になるというのがすごく好きで。わ！　これやってみたら、なんかキラキラしちゃってる、みたいなね。なんかその体験を積ませたい、ある種の成功体験だと思うんですけど。それが表現が機能しているっていう状態だと思うんです。

自分で自分を覚醒させる

国谷　箭内さんは著書の中で自分の十代二十代三十代のことをバネに四十代五十代を生きているとお書きになっていますが、自分が藝大生だった時にはあまり教えてもらった経験がないともおっしゃっています。そういう体験を踏まえて、若い人たちが今体験すべきことを大事にしたい、そういう思いがあるんですか？

箭内　それは強くありますね。僕の大学の四年間は全て挫折《ざせつ》への四年間だったので。

国谷　本当ですか？

箭内　本当です。自分が学生の頃の成績表とか発掘されたら大変だなって思うくらい、多分一番悪い成績で大学に戻ってきてる教員だと思います（笑）。

国谷　大学にいる間は自己肯定感が全く高まらなかったってことですか？

箭内　そうですね。先生方からも褒められなかったし、自分でも何一つやり切れていないなと思っていて。それは、サボってプラプラしてたとかじゃないですけど、何かを見つけられなかったみたいなことがあって。だからこそ、その復讐劇が今も続いているという（笑）。それはそれで面白いなと自分でも思うんで、だから課題の成績が悪い学生に、「課題の成績が悪いことをどうバネにするか」っていうヒントは与えたいなと思うし、成績が悪いことをサラッと流しちゃうんじゃなくて、ずしんと重たく感じてほしいなという話はしています。

国谷　そのユニークな課題を学生たちが自分でやるということは、自分が学生の時にそういうものがあったらよかったなって思いからですか。箭内さんからすると藝大の授業のどこが悪かったのですか？

箭内　いや、全然悪くはないんですよ。放っておかれてよかったなって思うし、何も教えてもらえなくてよかった。

国谷　何も教えられなかった？

箭内　そういう学校だったんですよね、昔は。学生も、教えてほしい教えてほしい、授業料分ちゃんと指導してほしいなんて思う学生もいなくて。教えてほしい教えてほしいになっちゃうと、教える人と教わる側の絶対的な関係みたいなのが生まれてしまうじゃないですか。それが僕はいやだなと思う。

国谷　上下関係にはなりたくない。

箭内　この学校の素晴らしさは、充実した教員陣だけじゃなくて、難関をかいくぐってきた、だけど違う夢を見ている仲間たちが隣にいて、同じ課題、例えば「チャーミングに異を唱えよ」って言われても、違う答え方をする仲間がデザイン科だと四十五人いる。それがやっぱりかけがえのない体験なんですよね。僕らはただそれの管理人なだけなんですよ。

もちろんそうじゃない先生方もたくさんいるし、「お前それ、給料泥棒だろう」って言われるからちょっと危ないんだけど（笑）。でも僕は、ちょっと背中を押したり刺激を与えたりする存在でいたい。でもその「ちょっと」が重要だから、僕の仕事の現場を見たいっていう学生はどんどん連れて行ったりもしています。それは背中を見せるとかそんな恰好いいことではないんですけど、僕が慌ててたり困ってたり悩んでたり、恰好よく解決したりっていう、そういうドキュメンタリーを生で見てほしいなって思っています。

国谷　面白いですね。

箭内　青い。青いんだと思いますよ。甘っちょろいんだと思いますよ。これ読まれたら「お前それじゃ教授務まんないよ」って絶対言われちゃいます。

国谷　学生が自分と向き合うような授業をされている。自分で自分を覚醒させないといけない、自己覚醒させる授業をされているような感じがします。

箭内　それは狙っています。その時の快感を感じてほしいんですよね、学生たちに。怖さと驚きと気持ちよさみたいな。それはこれから一生、ものを作っていく時の何か大事なお守りになる気がしていて。ちゃんとしたことを教える先生はたくさんいるし、そういう先生から学生たちはちゃんとしたことをしっかり教わっているんで。

デザイン科は研究室ごとにテーマ設定がされているんですけど、僕は「Design Alternative」っていうところなんですよ。だからみんながデザインだって言っていないようなものもデザインなんだって考える。例えば、美味しそうなお弁当をお母さんが作ったらそれもデザインだみたいなね。

国谷　そのように覚醒された人たちが世の中に出て行くと、自分の身のまわり、自分の置かれた状況を見て、我々の社会はもっと変わっていかないといけないと、能動的にデザイン力を生かした活動をどんどんやってくれそうな気がします。さきほどおっしゃった、壁の色を黄色にするのか赤にするのかの選択ではなく、青にしてしまうとか、壁をそもそもなくすという提案をするなど、オルタナティブを常に考えるっていうことが、実行力につながる。

箭内　そうですね。実行力、実現力ですね。国谷さんがおっしゃっていたように、何パーセントの人がどう動くかで世界を変えられるなら、自分が大学で出会ったいろんな学生たちが、その何パーセントの中でね、力を発揮する一員になってほしいという勝手な願いは持っちゃっていますね。今日、国谷さんと話している中での発見でしたけど、自分でもちょっと驚きでした。

表現者として自由になれる「開通」体験

国谷　熊倉純子《くまくらすみこ》先生（大学院国際芸術創造研究科アートプロデュース専攻教授）は、藝大の教授になろうとは全く思っていなかったそうです。美術史を学ばれ、フランス語ができて、留学して。で、帰ってきて企業メセナのアルバイトを始めた。メセナが花盛りだった頃で、各地にいろんなホールとかができていった中で、だんだん地元市民とアートを結ぶアートマネジメントのような仕事をクリエイトしパイオニアになられた。彼女の中では、どうやったら、お金持ちじゃない人でもアートに出会えるのかっていう問いを、ずっとお持ちになっていた。

「クロ藝」をやらせていただいて非常に面白いのは、なんで今こういうものにこだわっているのかの背景には、一人ひとりの原体験、いいストーリー、いい問いがあるんです。そのストーリーに出会えると、この企画をやってよかったなって毎回思うんです。熊倉先生の場合、なぜお金持ちじゃないと芸術と出会えないのか、どうしたら誰でも出会えるようになるのかという「問い」でした。

箭内さんもきっとそうだと思うんですけど、人を動かすことの背景にはいいストーリーや原体験があります。

箭内　背景だけじゃなくてね、原体験と自分がやるべきこと、今やるべき発想っていうのを、さっき「開通」って言葉を使いましたけど、開通させることができた人と、できなかった人、そこで線引きされているのかもしれない。開通するともう楽なんですよ。自分のこれまでの人生が全部そのまま仕事になっていくじゃないですか。でも、学生ですら人生は人生、仕事は仕事、自分は自分、課題は課題ってどうしても分けちゃっている。大人になっても分けてる人はいますけど、そこの壁をバーンと壊せた人だけが、おそらくライフワークとしてクリエイティブという仕事を、それこそ持続可能になっていくのだと思います。終わらないいんですよね、原体験の復讐劇、弔《とむら》い合戦だから。

それがないまま、職業としてプロフェッショナルを名乗っても、どうしても何のためにそれをやってるのかという「根」がない。でも、その壁と壁の間を自然に接続できた人はいいんだけど、別のものって考えてしまってる学生だったり社会に出た若い人が多いんですよね。そこをつなぐだけでみんな猛烈に何百倍も自由になれると思います。

国谷　そうか！「開通」ってそういう意味なんですか。だから日比野さんもごく自然に障がい者施設に泊まり込んで、そこでアートプロジェクトをやる。はじめは障がいを持った方が色をひたすら塗っている、その脇にいて自分も刺激を受ける。でもその人は色を塗るのが好きなのではなくて、色鉛筆を削るのが本当は好きだからなんです。でも違ったものに触れることで自分もまた触発されると話していらっしゃる。体験の中の、何かざらついたものに、自分が表現すべきもののヒントがあると。今、箭内さんのお話をうかがって、ああそうかと思ったのは、体験がつながってくると表現者として自由になれる。

箭内　もうエンドレスモードに入るんですよね。

国谷　入るんですか。

箭内　日比野さんもそこがつながってるから、障がい者の方々のところに行く。それはモチベーションがあるとか、行くことが大切だからとか、行かなければいけないからとか、そういうことじゃないってことが大事なんです。ＳＤＧｓのこともそうだし、人間全員そこが開通されたらすごくいい。

箭内道彦の「開通」体験

国谷　箭内さんの「開通」体験は何ですか？

箭内　僕は三年浪人をしています。二浪目までは「明日試験でも受かるよ」みたいに言われていたまじめな浪人生だったんですよ。まあ二浪目の受験でも受かんなくて、もうこれはどうやったら受かるんだって思った時に、本当に自分が描きたくて描いてる絵じゃないことに気が付いた。受験の勉強のため、受かるためにやってることだったって。それで受かる人もたくさんいるんですけど（笑）。その描くことを一切楽しんでいないことに気が付いて、それで描きたくなるまで描くのを止めようと思ったんです。それで実家に帰って、家業がお菓子屋牛乳屋だったんですけど、それを手伝うというか、継いでるような感じでやっていたんです。

当時のデザイン科は入試倍率五十倍だったんで、僕は五十年受けようって決めたんですよ。五十年受ければ一回受かるっていう計算でしょって、自分の中でその時ぽーんと思えて。それで気持ちが楽になって、一年間何も描かないで藝大の試験会場に一時間遅刻して入ったんですけど、急に何も準備してない自分っていうものが怖くなっちゃって。わざとやってたくせにね。だけど席についたら、「受かんなくてもいいから描きたーい！」っていう気持ちが生まれて初めて湧いてきた。それはそこで知ったんですよね。その初期衝動を常に持ち続けてはいます。まあストーリーにはなっていない話ではあるんですけど、大きな体験ではありました。

だから卒業してからもそこが基準になっていますね。あれは本当にありがたかったです。なんか自分にとっては、そこの壁を越えるためには、この体験が必要だったんだなあと思います。

国谷　学生たちに、どんどん開通体験というか、目の色が変わってくる、そういう体験をさせたいという思いを持ちながら向き合っていらっしゃる。楽しみですね。

企業と藝大との連携

国谷　企業にはもっと藝大と連携すると面白いことができると思ってほしいし、自分たちが触発される場所だと思ってもらえるようになったらいいなと思います。もちろん、企業色に染まるという意味ではなく。藝大を支えてくれるような関係を持てるように企業とつながっていけたらいいですね。

箭内　あれもできます、これもできますみたいな、なんか藝大にあるものを企業に捧げますモードになっちゃうと、最初の入り口が良くないと思うんです。そうしたら、もっとこれしてください、あれしてくださいって、こうしてもらわないと利益になりませんとかってなっちゃう。利益にならないかもしれないけど、この人と付き合いたい、そう思わせたいですよね。

国谷　そうそう、それですね！

箭内　そのためには、そもそも大事なのは我々がもっとキラキラ輝いて、企業から告白を受けるような存在にならないといけないし、基本はそこしかないと思うんですよね。本当は、企業のほうが直観で、藝大と何かやりたいと思ってくれるような存在にならないと。国谷さんは間をつなぐ存在だから何かいいセールスシートがあるとか、武器をお渡しできるといいんだけど、そういうメニューを作るのはすごく危険な感じがして。藝大は、メニューではなく、「オレンジじゃなくて青がいいよ」って言えるアートの視点をお渡しすることはできますよね。

　箭内さんがおっしゃった「〝ねばならない〟っていう重い足かせや、悲壮感の中で新しい時代を作っていこうっていうのは気高くはあるけど難しい」。報道の世界に長い間身を置いていた中で、課題を抽出し、背景をみて解決策の提示を繰り返してきただけに自分には「ねばならない」話法が染みついているのではと、とても考えさせられました。
　進む環境の劣化、格差の拡大、テレビを離れて取り組んでいるＳＤＧｓは持続可能な社会を目指していて、目標の二〇三〇年に向けてこの数年が鍵とされています。「もし持続可能な地球と社会が作り出されたらこんな素敵なことが起き、こんな良い気持ちになれる」をクリエイティブの力を使って力強く発信できたらどうなるだろう。多くの人々が、今、求められている大胆な経済モデルの変革に、合理的な理由ではなく情緒的な理由で支持をするようになり、日本が持つ科学の力とアートの力が共創する形でダイナミックに動き出す原動力になっていくのではないかと妄想し始めました。

一方で喫緊の足元の課題は若手芸術家の支援ですが、まだ思うようにムーブメントを創れていません。皆様のご協力を改めて強くお願いいたします。（**国谷**）

註

（1）東京藝術大学ホームページ　https://www.geidai.ac.jp

（2）若手芸術家支援基金クラウドファンディングは二〇二〇年七月三十一日に終了、同基金キャンペーンは二〇二一年三月三十一日まで実施　http://www.fund.geidai.ac.jp

II

国谷裕子が東京藝術大学で「藝大」を学びながら、「教育」と「アート」と「社会」を考える

東京藝術大学の先生に共通する「開通体験」

箭内道彦先生の発案で始まった「クローズアップ藝大」（以下「クロ藝」）。二〇一九年四月に東京藝術大学（以下「藝大」）のホームページでスタートしたこの企画はコロナ禍を挟んで、これまでに十二人の先生のお話を伺うことができました。

この章ではその総まとめとしてそれぞれの先生方との対話での「言葉」も引用しながら、「藝大」の可能性、そして「社会」と「アート」の関わり方について考えていきたいと思います。

第一線で活躍する芸術家の方々の「頭の中」を少しだけ覗くことができた「クロ藝」は、どの先生とのお話も刺激的でしたが、とりわけ印象的だったのは、それぞれの先生の原体験です。

誰しも原体験は持っています。しかし必ずしも、原体験が今の自分（＝仕事）につながる人ばかりではありません。「藝大」には先端的な活動をされ芸術を極められ、今の活動が原体験としっかりつながっている先生方が多いのではないでしょうか。どうして、そのようなことが可能になったのか。そのヒントは、箭内先生が「クロ藝」の中でおっしゃっていた「開通体験」にあるのではないかと思います。

〈開通するともう楽なんですよ。自分のこれまでの人生が全部そのまま仕事になっていく〉
〈大人になっても分けてる人はいますけど、そこの壁をバーンと壊せた人だけが、おそらくライフワークとしてクリエイティブという仕事を、それこそ持続可能になっていくのだと思います〉（箭内道彦）

人生と仕事の壁を無くし「開通」させることによって自由に創作できるようになり、個の確立した存在になっていくと、箭内先生は教えてくれました。なるほど、と言葉では理解しつつ、では私には「開通体験」があったのだろうかと思いながら、他の先生はどうだったのか考えてみました。

日比野克彦先生の原体験は小学生の時のこと。日比野先生たち小学生が暑さをしのぐためにバス停の後ろにあった銀行に入りこんで、給茶機《きゅうちゃき》のお茶を飲んでいたそうです。そのことを銀行から言われて知った担任の先生が、子どもたちと「銀行のお茶」というお芝居を創り、学芸会に銀行の方を招待して観てもらい、トラブルを解決したという経験があった。その原体験は日比野先生の「社会」と「アート」を結びつける現在の活動につながっています。

対談の中でも触れましたが、日比野先生は「小学生の時は漫画家とサッカー選手を目指していたけれど、高校一年の時に、『生きることは自分を表現することなんだ』と気が付いてアートを目指すようになった」そうです。

この「生きることは自分を表現すること」という言葉は、テレビのドキュメンタリー番組のなかでコンテンポラリーダンサーが話していたもの。当時、進路を迷っていた日比野先生は、この言葉に出会って漫画家やサッカー選手ではなく美術を選ばれた。

山村浩二先生は十歳の頃に読んだ子ども向けの落語の本にあった『あたま山』という落語のオチにある「自分の頭の中に飛び込んで死んでしまう」というシーンのイメージがずっと頭に残っていたそうです。

〈自分自身を自分で認識しようとすると、時間の複数性による無限後退に入り込んでしまう。「自分を考えている自分を考えている自分……」そんな状況が、『あたま山』のオチから想像されて、自分自身の存在の理解の限界を考えたアニメーションができるのではというところから（『頭山』は）始まった〉（山村浩二）

芸術とは全く違う世界で生きてきた私には、箭内先生の「開通体験」という言葉がとても新鮮に響き、先生方の忘れ得ぬ原体験こそが、豊かな創造性、クリエイティビティの源泉となっていることを感じ取ることができました。先生方は、自分自身の原体験と表現のリンクを見つけていく人＝「開通」の体験者だということに気付かされたのです。

東京藝術大学で「何」を学ぶのか？

では、そうした芸術家が集まった「藝大」で、学生たちは何をどのように学ぶのでしょうか。多くの先生は「自分は教える存在ではない」とおっしゃいます。むしろ考えさせたり刺激を与えたり、「開通」のための起爆剤になることを重要視している。

特に大切にしていると感じたのは「問いかけ」です。学生に「答え」を与えるのではなく、「問い」を与える授業。

〈常に自分に問いかけていてほしいので、ゼミで話す時などは「問いかけ」からスタートします〉（山村浩二）

〈学ぶことを自分で探せる人になるということを学んでほしい。みんな言われたことはできるようになるけれど、言われなくても自分でできないことを探すとか、自分に足りないものを探す、自分が不得意なものを探すということを、自分でしてほしい〉（高木綾子）

そしてどの先生も、「学び」のポイントは「楽しむ」ことであるとおっしゃる。この「楽しい」という感覚が先生方に共通していることこそ、「藝大」の魅力かもしれません。

〈「作ることは楽しい」と伝えていきたいです。創作に勝る喜びはないと考えています〉（山村浩二）

〈どんどんいろんな資料や作品と出会って、その出会いによってまた違う物語のようなものが浮かび上がってくる時って、すごく楽しい〉（黒川廣子）

〈僕も学生に対して教えるけど、「無理するな」と言います。辛いと思ったものは合ってないから楽しいことをやったほうがいいよって〉（日比野克彦）

箭内先生の教えるデザイン科には一学年に四十五人の学生がいます。その学生たちにある課題を与えると、四十五通りの答えが出てくる。

〈難関をかいくぐってきた、だけど違う夢を見ている仲間たちが隣にいて、同じ課題、例えば「チャーミングに異を唱えよ」って言われても、違う答え方をする仲間がデザイン科だと四十五人いる。それがやっぱりかけがえのない体験なんですよね〉（箭内道彦）

自分と発想の違う人と出会い、一緒に刺激を受ける仲間が当たり前にいる幸せ。皆が似たような答えを出すのではなく、自分が一生懸命考え、課題についてこうだと思ったことに対して、全く違うプレゼンテーションが続いたら、その場はとても刺激的です。

現代は自分の意見、人と違う意見を言うと爪弾《つまはじ》きにされるのではないかという空気が満ちています。しかし「藝大」では、教員陣も含めて非常に多様性のある人たちの中で、学生たちは個性ある先生や仲間を相手に、それぞれの自分らしさをぶつけ磨いていく、いわば壁打ちができるわけです。

そのために最も大切なことは、当たり前にお互いの違いを認め合い、面白がることです。そのようにして自分の輝きを見つける場所、それが「藝大」なのだと思います。

この大学には伝統芸術から先端芸術までさまざまな科が揃っていて、音楽から映像、あるいは熊倉純子先生のアートマネジメントのようないろいろなジャンルが集まっています。そして自分と同じ学科の中の人たちでさえ多様性があります。

〈高校に入るまではピアノ以外の楽器はほとんど見たことがない。それが、藝高に来たら、いきなり周りにいろんな楽器を使う人がいて、これは面白いと思って観察して、「一緒に弾かせて」って。(中略) 大学ではそれが楽しくて、楽しくて〉(江口玲)

〈ここには物を作る人間が勉強する、学ぶ場としてはいい空気感があると思います。極端に言うと、技法的な適格なアドバイスとか情報がなくても、ここにいるだけで、空気感で作品が作れそうな気がしますよね〉(前田宏智)

クリエイティブなことをやろうとしている人にとってみれば、自分の発想が刺激されて新しいものが生まれそうな空気が満ち満ちている。同時にその空気に埋もれてはいけないわけで、個の確立を考えるとプレッシャーにはなる。そのプレッシャーを通じて、人間としての引き出しが増えていくのではないでしょうか。

「藝大」を卒業したある画家はこんなことをおっしゃっています。

「藝大」時代、先生は朝からただそこにいるだけ。ちょっと飲んでいることもあって、何も教えてくれなかった。でも素晴らしい先生だったと。

作品や芸術に対する姿勢そのものが素晴らしいから、学生たちはそこから刺激を受ける。そして先生方も、成功体験をベースに同じものを繰り返し作ったり伝えたりするのではなく、常に新しいステージを目指している。自由な発想を大切にしながらも、同時にその挑戦を楽しみ、新しい自分に出会っている。

〈あまり自分のテーマとかスタイルとかは決めたくないんですね。いろんなことをやりたい。「次何をやりたいですか」とよく聞かれますが、一番わかりやすい答えは、「これまでやったことのないことをやりたい」です〉(黒沢清)

だからこそ、菅先生のこの言葉は、学生にしっかり伝わってほしい。

〈時間を大切にしてほしいです。学生はこの学べる環境や、若い「今」が、ずっと続くと思っているように感じます。いつでもできるから、「今」やらなくてもいい、と考えてしまう〉（菅英三子）

「アート」によってつながる「社会」

「クロ藝」の中では、アートと社会をつなげることの重要性についても、多くの先生が話されています。

コロナ禍以前から、日本はずっと行き詰っています。多方面において競争力が下がってきていて、ビジネスモデルも古くなっている。時代の大きな転換点にあって、この流れを早く変えなければいけないのに日本の変革のスピードは遅く、世界から取り残されていくように見えます。優れた人材、技術、資金が潤沢《じゅんたく》にあり、社会全体にイノベーション、イノベーションとかけ声は溢れているけれど、現実にはなかなか革新的なものは生まれてきていません。そういう中で、箭内先生のお話は大変刺激的でした。

〈（町内会で）二つの勢力が対立していて、（中略）壁の色を塗り替える時に、「赤くしたい」という勢力と「黄色くしたい」という勢力があって、多数決で赤になるか黄色になるか、もしくは仲良く赤と黄色を混ぜて、ちょうど間のオレンジ色に塗っておきましょうとなるんだけど、そうではなくて、（中略）「赤でも黄色でもなくて青のほうがいいかもしれない」と言ったり、もしくは「この壁とっちゃったほうがいいかもしれない」と言えたり、「壁をはがして違うものを作りませんか」と言えたりする。それがアートだと思うんです〉（箭内道彦）

どうしても自分のタコツボの中でしか議論できない人たちに、あえてまったく違う答えを言える人が入っていると、議論が活発化したり、タコツボの中で分断されている人たちを横串でつないでくれる。そういう存在になれる可能性を私はアートに感じます。真ん中で議論している人には発想できない眼差《まなざ》しで問題に切り込んでいく存在がアートであり、その眼差しの中にこそ、この世の中を変えるヒントが潜んでいるのかもしれません。人は釈然としないものの中に自分が置かれた時、アートがあることによって、新鮮な視点を獲得することができ、物事が動き出すのです。

〈僕らのような芸術分野を扱っている者が、人間が言葉や論理で理解できない部分、中間的な部分を担っていくのかなと思っています〉

〈人間の心の奥底には、社会的なモラルや模範的な考え方からはどうしても外れてしまうけれど、自分自身もよくわからないものが絶対眠っているはずなんです。そういうものは今の社会では表に出しづらいのですが、そのカオスこそ人類の進化の原動力になっていると思うんです〉（山村浩二）

私たちは今、これまで当たり前だったものが当たり前でなくなっている時代の転換点にいます。ポスト・コロナに向けて社会の変容が必要なわけですが、変革期がもたらす不安や混乱に対する反動もあり、元の世界に戻ろう、元通りにしようという空気が生まれがちです。新しいところに行こうというエネルギーが乏《とぼ》しい。しかし芸術家は、どんな時でも「新しいものを作ろう」「誰も見たことのないもの、やったことのないことに挑戦しよう」とポジティブなエネルギーを発しています。こうしたエネルギーこそ、この低迷した現代社会には必要なのではないでしょうか。

今の社会は、ＳＤＧｓやダイバーシティという言葉が広がり、寛容な社会に向けて動き出しているように見える一方で、ＳＮＳなどに顕著《けんちょ》ですが、自らと異なる他者を排除する動きも加速しています。そうした状況で、芸術家の感性が多様な視点を与えて、社会の中に寛容さや豊かさを育《はぐく》む可能性を日比野先生は示唆しています。

〈進化の過程で蓋《ふた》をしてしまった能力がたくさんあるから、「それをもう一回意識しに行こうよ、陸から海へ行こう」という意味で、その行為を何て言おうかっていうことで（アートプロジェクトの）「TURN」が生まれてきた〉（日比野克彦）

人間には本当はもっと心の底に豊かなものがあったはずなのに、私たちは現実社会の中でイメージする力や想像する力に蓋をして生きている。それをアートの力でもう一回覚醒させることによって、地域の中で閉塞感《へいそくかん》に悩んでいる人たちや、組織の中での行き詰まりに対して、パッとその蓋を取って、人間の中にあったイマジネーションの力を気付かせることができるんじゃないか、という日比野先生のお話にはハッとさせられました。

芸術の力は即効性があるものではないかもしれません。しかし、作品に触れたことによって行動を変えたり、発想を変えたりする人々の強い思いが自然と積み重なって、いつしか世界を変える日が来るかもしれない、と思わずにはいられません。

SDGs（持続可能な開発目標）の実現のために

私は二〇一五年九月に国連総会で採択されたSDGsの取材や発信に取り組んでいますが、SDGsの多くの目標を実現していくためには、これまでとは全く違った発想で社会を作り変えていかなくてはならないと思っています。多様性が認められ、破壊的イノベーションも含めたいろいろなアイデアが次々と生まれるような社会が求められています。ですから、「藝大」の教育を通じて社会に輩出《はいしゅつ》されていく人材は、とても重要です。

残念なことに、まだ受け手側の社会はこうした人材が十分に力を発揮できるような状況にはなっていません。もっと「藝大」と「社会」がつながるためにも、ここで教育を受けた人たちの価値を発信しなければならないと痛感しています。

SDGsというのは、「誰一人取り残さない」ということが大きな柱となっています。しかしコロナ禍で格差が一層広がり、社会の不寛容さも強まっています。またどうしても、生きていくことが経済活動に絞り込まれてしまい、芸術・文化活動は二の次、三の次だと思われがちです。しかし「人間らしさ」や「生きること」の基盤には、芸術は欠かせません。そのような考え方もコロナ禍の中で次第に出てはきましたが、もっとその認識が共有されると社会も柔らかなものに変化し、寛容さを取り戻すことにつながっていくのではないでしょうか。

　SDGsのもう一つの柱は、危機的状況になっている地球をどう持続可能にするかです。人間の生命を維持している地球システムを人間自身が壊しつつあるのです。その破壊が決定的なものにならないようにするためには、二〇三〇年までの十年間が鍵だとされています。しかし、まだ社会は十分にそのことに気が付いていません。根源的な人間の生命に関わるような事態が起きていることに対して、みんなが本能的に「あ、そうなんだ」という意識を持てるようになかなかならない。

　なかでも地球温暖化の問題はまさに緊急の課題で、化石燃料から再生可能エネルギーへの変革というエネルギー革命、そして食糧システムの変革、都市の変革やモビリティの変革……いくつもの変革が求められ、それをドラスティックに進めなければならないのです。

　では危機感を煽《あお》ればいいのか、逆にポジティブなストーリー、目指すべき理想的な社会像を描いて見せるべきなのか……どういうナラティブで、どういうストーリーで伝えればいいのかを模索する上で、もっとアートの力を活かすことができないだろうか。「藝大」で教育を受けてきた人たちの発想や、その発想を受け入れることができる社会の変化が求められている、「クロ藝」での先生方との対話を通じてその思いは強くなりました。

〈世の中が、「ねばならない」っていう重い足かせや、重荷を背負って、悲壮感の中で新しい時代を作っていこうっていうのは、気高《けだか》くはあるけど難しい。多様ってものに触れてみたらこんなに面白かったたっていうことが、もっともっとあればいいと思う〉（箭内道彦）

分断される社会とダイバーシティ

今、社会はどんどん分断されています。SNSで情報を得ることが増えると世界は広がったように感じますが、実は知らず知らずのうちに自分の嗜好《しこう》に合ったものしか見えなくなっています。幅広く情報にアクセスしていると思っていても、自分とは意見の違う人々からの情報を遮断してしまっている。確証バイアスという言葉がありますが、自分がそうだと思っていることに対して複数の肯定的な情報に触れると、「あ、やっぱり自分が考えていることが正しいんだ」となっていくわけです。いつのまにか自分の持っている考えが一方的に補強されて、幅広いアクセスをしなくなっていく。昔は新聞やニュースや、テレビのドキュメンタリーを見れば、自分と違う意見も飛び込んできたわけですが、現代の情報はタブレットの中にあり、リアルな言葉に出会っていません。とりわけ若い人は、リアルな人間に会う機会も少ないように思えます。似たような仲間とばかり、同じSNSの世界で会って「いいね、いいね」を与え合う。異質なものにぶつかる刺激はほぼありません。むしろ違和感があるものや面倒くさいものに巻き込まれることを極力避ける。このことは会社や社会も同じで、個性的で異質だらけの中で学んだ自由な発想を持っている人たちを受け入れる土壌はまだ生まれていない。

そうした状況の中で、今の「藝大」の学生も、「卒業したあと芸術家として身を立てていく」ということが一番の目標になっているので、キャリアを社会の中で見つけていこうという姿勢はあまりないように見えます。卒業したら全員、一人の芸術家として一人前にならなければいけないというのが、これまでの「藝大」のかっこよさで、大学側も就職支援をあまりしてきませんでした。

しかし、社会のほうも、自由な発想を持っている多様な人材が必要だということに少しずつ気が付いてきています。ダイバーシティという言葉が広まり、多様な人材が必要だという空気が社会に生まれてきました。実際、意識的にそういう人材を採用している会社もあります。ですから、箭内先生の言葉を借りれば、〈大事なのは我々がもっとキラキラ輝いて、企業から告白を受けるような存在にならないといけない〉わけです。

キラキラすることによって、あそこの人材がほしいと社会の側が思ってくれたり、反対に「藝大」の中にいる人たちもキラキラしている自分たちは社会とつながることでもっと輝けるのではと思えるような仕組みがあればと思います。こうした意味での「社会とつながる大学」を実現していかなくてはなりません。今まさに、大学側も変革の岐路《きろ》に立たされているのです。

最後に「言葉」について感じたことを書き添えたいと思います。

「藝大」の先生方は作品自体でコミュニケートするのではないかと思っていたのですが、それに加えて「言葉」をとても大事にされているということも「クロ藝」を通じての発見でした。私は「言葉」を使う仕事をしていますが、どの先生もご自身の作品への思いや、原体験、「開通体験」を言葉で表現することにたいへん秀《ひい》でている方々だったことが印象に残りました。

今後も、創作活動を通じて「世界」と向き合っている先生方との言葉による対話の中で、現代社会における芸術の新たな役割と可能性について考えていきたい、そう思っています。

おわりに

箭内道彦

〝世界を変える創造の源泉〟

これは、二〇一九年に制定した東京藝術大学のタグラインです。様々な企業の広告を長く手掛ける自分が、学長から広報・ブランディング戦略担当を任ぜられ、最初に着手したリブランディングの第一歩でした。

そのタグラインを基に据え、ウェブサイトをリニューアル。一貫させたのは、東京藝大が比類のない「人間の宝庫」であること。創造の源泉に蠢《うごめ》く多様な才能の存在と躍動を、内と外、その両側に向けて強く発信するための装置の一つが、この「クローズアップ藝大」でした。

母校である藝大に、教える側として自分が戻ったのは二〇一六年。同じタイミングで理事に就任した国谷裕子さんと辞令交付式で隣り合わせました。二十三年続いたＮＨＫ「クローズアップ現代」のキャスターを国谷さんが電撃的に降板した直後です。国谷さんが藝大に来てくれたことは、番組に出演させていただいたことのある身としても、この上なく心強かった。他の教授たちに囲まれる中、「お久しぶりです」と笑顔で挨拶を交わしたことを思い出します。「クロ現」に呼ばれた回は、「人を動かす〝共感力〟」と「未来をひらく〝二枚目の名刺〟が革新を生む」。生放送での国谷キャスターとの一対一のやり取りは、刺激と気づきに満ちたものでした。同じNHKで「トップランナー」という番組の司会を担当した自分には、一方的に抱いたシンパシーもありました。二〇一六年の春、世界が直面する様々な課題と真摯《しんし》に向き合い続けたその人が、テレビから突然消えたことは、社会にとって計り知れない損失でした。その国谷さんの力を迎えた東京藝大が持ち腐れてしまってはいけない。そうも感じました。「国谷裕子のクローズアップ藝大」、言葉遊びの冗談のようなタイトルですが、自分にとっては大真面目。国谷裕子此処《ここ》にありという宣言でもありたかったんです。このタイトルをニッコリ笑って受け入れてくれた国谷さん。とにかくまず国谷さんに藝大をもっともっと知って欲しかった。「クローズアップ藝大」は、その過程を映したドキュメンタリーでもあります。

みなさんご存知の通り、国谷さんは本当に素敵な人です。知性と見識があって、情が深くて、カッコよくてチャーミングでシャープで、この世界を少しでも良くしようといつも戦っていて。国谷さんがもし刑事で僕が容疑者だったら、取調室できっと全てを自白してしまいますね。涙を零《こぼ》しながら。カツ丼なんか出されなくっても。相手を追い込む力。話す、話させる力。国谷裕子と向き合い、彼女からの強い問い掛けをいくつも受けることで、その回答を必死に探すことで、東京藝大はもっと強く豊かに成長する。開かれていく。僕はそう強く確信しています。

二〇二〇年、新型コロナウイルスは、人と人の間に無数の線を引きました。国境に、人種に、職種に、貧富に、経済に、イデオロギーに。感染拡大防止のための物理的ディスタンス以上の分断を作りました。人々が初めて経験する不安と苛立ちの中、ドイツの文化相は、「アーティストは今、生命維持に必要不可欠な存在」と早くに断言しました。イギリスの首相は「イギリスの文化事業は、この国の脈打つ心臓」と言い切りました。この国においても、今だからこそ、芸術にできること、芸術にしかできないこと、芸術がやらなければならないことは、数多くあります。ここ数百年の中で、人類が芸術を最も必要とするタイミングが現在なのだとも思います。そういう時代だからこそ、「国谷裕子」は、今の藝大にとって、絶対に必要な存在です。藝大と社会を強く接続するために。芸術が世界を変え続けていくために。

「国谷裕子のクローズアップ藝大」を、広く多くの方々に届けないのは勿体《もつたい》ない、常々そう考えていた折に、河出書房新社さんから今回の書籍化の提案をいただきました。末筆になってしまいましたが、関係者の方々に深く感謝を申し上げます。

「最後の秘境（?）」に蠢く十二人、その頭の中を国谷裕子が暴くこの書籍。まだまだ多くの変人が東京藝大には棲んでいます。「クローズアップ藝大」は、これからも続いていきます。

＊本書は東京藝術大学ホームページ（https://www.geidai.ac.jp）で連載されている箭内道彦氏立案の「クローズアップ藝大」（https://www.geidai.ac.jp/cntnr_column/archive/closeup-geidai）を書籍化したものです。書籍化に際して加筆修正の上、「はじめに」「Ⅱ　国谷裕子が東京藝術大学で「藝大」を学びながら、「教育」と「アート」と「社会」を考える」「おわりに」を収録いたしました。

編集協力
箭内道彦（帯文作成）
東京藝術大学　土肥清子　大宮みのり
石黒一郎
今井章博

写真撮影
Taro Peter Little　P16
新津保建秀　P38, 76, 79（下）, 81（上・下）, 118, 131（上・下）, 204, 215, 230, 241, 245
三浦一紀　P56（＋「クローズアップ藝大」03・対談まとめ）
永井文仁　P94, 138, 141, 158, 167
寺田健人　P180, 193

河出新書 031

クローズアップ藝《げい》大《だい》

二〇二一年五月二〇日　初版印刷
二〇二一年五月三〇日　初版発行

著　者　国《くに》谷《や》裕《ひろ》子《こ》＋東《とう》京《きょう》藝《げい》術《じゅつ》大《だい》学《がく》
発行者　小野寺優
発行所　株式会社河出書房新社
〒一五一-〇〇五一　東京都渋谷区千駄ヶ谷二-三二-二
電話　〇三-三四〇四-一二〇一［営業］／〇三-三四〇四-八六一一［編集］
https://www.kawade.co.jp/
マーク　tupera tupera
装　幀　木庭貴信（オクターヴ）
印刷・製本　中央精版印刷株式会社
Printed in Japan　ISBN978-4-309-63132-5
落丁本・乱丁本はお取り替えいたします。
本書のコピー、スキャン、デジタル化等の無断複製は著作権法上での例外を除き禁じられています。本書を代行業者等の第三者に依頼してスキャンやデジタル化することは、いかなる場合も著作権法違反となります。

アメリカ

橋爪大三郎　大澤真幸
Hashizume Daisaburo　Ohsawa Masachi

日本人はアメリカの何たるかを
まったく理解していない。
日本を代表するふたりの社会学者が語る、
日本人のためのアメリカ入門。
アメリカという不思議な存在。
そのひみつが、ほんとうにわかる。

ISBN978-4-309-63101-1

河出新書
001

歴史という教養

片山杜秀
Katayama Morihide

正解が見えない時代、
この国を滅ぼさないための
ほんとうの教養とは——?
ビジネスパーソンも、大学生も必読！
博覧強記の思想史家が説く、
これからの「温故知新」のすすめ。

ISBN978-4-309-63103-5

河出新書
003

そして、
みんなバカになった

橋本 治
Hashimoto Osamu

21世紀、バカの最終局面に入った日本へ。
橋本治が2000年代に残した
貴重なインタビューから、
本当の教養とは何かを学ぶ！
高橋源一郎さんによる、
書き下ろしエッセイを収録！

ISBN978-4-309-63119-6

河出新書
018

「原っぱ」という社会がほしい

橋本 治
Hashimoto Osamu

「社会」の原点は、自分たちのルールでつくる
「原っぱ」にある。
未完に終わった橋本さんの論考「「近未来」としての平成」、
そのテキストに呼応する原稿を集めて1冊に。
橋本治、最後のメッセージにして、
これからの日本に贈る、感動の昭和・平成論！

ISBN978-4-309-63127-1

河出新書
025

共鳴する未来

データ革命で生み出すこれからの世界

宮田裕章
Miyata Hiroaki

ビッグデータで変わりゆく自由、プライバシー、貨幣
といった「価値」を問い直し、
個人の生き方を原点に共に生きる社会へ——
新しい社会ビジョンを牽引する
データサイエンティストによる、
私たちの「生きる」を再発明するための提言。
山本龍彦氏、安田洋祐氏、大屋雄裕氏との対談も収録。

ISBN978-4-309-63121-9

河出新書
020

仏教の誕生

佐々木閑
Sasaki Shizuka

二千五百年もの間、「生きることがつらい」と
感じる人たちを救い続けている
ユニークな「社会」がある。
「仏教」はなぜ、生まれたのか?
厄災多き時代に贈る、最高にわかりやすい
仏教連続講義、開幕。

ISBN978-4-309-63125-7

河出新書
023

一億三千万人のための『論語』教室

高橋源一郎
Takahashi Genichiro

『論語』はこんなに新しくて面白い！
タカハシさんによる省略なしの
完全訳が誕生。
社会の疑問から、人間関係の悩み、
「学ぶこと」の意味から「善と悪」まで。
あらゆる「問い」に孔子センセイが答えます！

ISBN978-4-309-63112-7

河出新書
012